JE DIS ENFIN
STOP
À LA PRESSION

Infographie: Chantal Landry
Conception graphique de la couverture: Ann-Sophie Caouette
Illustrations: Nathalie Jomard

ISBN: 978-2-924402-37-5
Dépôt légal – Bibliothèque et Archives Nationales du Québec, 2015
Dépôt légal – Bibliothèque et Archives Canada, 2015

Titre original français: Je dis enfin stop à la pression

© 2014 Groupe Eyrolles, Paris, France
© Gallimard limitée – Édito, 2015 pour la présente édition

Imprimé au Québec

AUDREY AKOUN
ISABELLE PAILLEAU

JE DIS ENFIN
STOP
À LA PRESSION

5 ÉTAPES POUR SE LIBÉRER

Table des matières

À nos pères,

*Serge, un grand enfant dans un corps d'homme
qui portait son regard espiègle sur cette vie
merveilleusement absurde et pouvait rire de tout
(mais pas avec n'importe qui),*

*Jacques, bon vivant passionné et farfelu qui est
l'incarnation de l'Amour avec un grand A.*

Introduction

Nous l'avons vue arriver à petits pas, de plus en plus sonores, par la porte de notre bureau. Puis, nous l'avons entendue se dire, se crier, se pleurer dans les mots de nos clients petits et grands, de nos amis et nos familles. Et lorsque nous avons ouvert la boîte de Pandore, elle était partout : la pression.

Oui ! Elle est partout, de plus en plus envahissante et destructrice.

Performance, obligation de résultats, retour sur investissement, compétition, multiplication d'activités... qu'elle soit scolaire ou sociale, physique ou mentale, éducative, familiale, la pression est polymorphe mais n'a qu'une conséquence : une baisse inquiétante de la confiance en soi et de l'estime de soi, de la créativité, du courage, de la motivation, de la coopération et de la solidarité.

Dans cette course au « parfait », il s'agit de savoir où s'arrête une envie naturelle de progresser et de faire progresser, et où démarre la pression insidieuse et toxique.

L'évidence s'est imposée à nous d'une manière aussi limpide que violente. Les adultes d'aujourd'hui sont piégés au cœur d'un conflit entre une envie de réussite sociale (à tout prix) et une quête de bien-être et d'harmonie.

Ce constat est également tiré de notre expérience de thérapeutes et de notre expérience personnelle. Ceci est notre vision; notre regard singulier, celui qui nous permet d'avoir accès à la subjectivité des personnes qui croisent notre route et à notre propre subjectivité.

Nos lecteurs pourraient penser que nous traitons d'un joli concept et que nous prônons le « Yaka Fokon ». Pantoute! Nous aimons parler de ce que nous connaissons. Et en ce qui concerne la pression, nous l'avons subie et en avons expérimenté les conséquences jusqu'au burn-out. Eh oui! Même un pompier peut se brûler les doigts. Nous savons que s'en relever et se libérer d'un système que nous subissons mais dont nous sommes aussi les principaux acteurs prend du temps.

Nous avons conscience que ce que nous allons dire peut en bousculer certains. Nous ne revendiquons aucun autre regard que le nôtre. Nous ne sommes pas sociologues et ne cherchons pas à élaborer des thèses qui viseraient à expliquer le pourquoi du comment notre société en serait arrivée là. D'autres le font bien mieux que nous! Nous sommes des praticiennes, des femmes de terrain et, à ce titre, nous préférons donner des pistes pour comprendre et agir.

Dire stop à la pression ne signifie pas se laisser vivre, refuser l'effort et les contraintes et être motivé uniquement par le plaisir.

Nous ne sommes pas de douces rêveuses, néanmoins nous pensons intimement que nous pouvons poursuivre nos rêves et en premier lieu celui d'être heureux sans y laisser sa peau. C'est même une question de responsabilité que de prendre en main notre bien-être et celui de ceux dont nous avons la charge. Il en va aussi de notre responsabilité de ne pas pourrir le bien-être des autres.

Bien que la pression soit maintenant considérée comme faisant partie naturellement de notre manière de vivre et de grandir, nous nous interrogeons sur cette autre manière de faire que nous expérimentons aussi bien dans notre bureau que dans nos familles et à la Fabrique à Bonheurs[1].

Il y a quelques années, nous avons choisi de prendre en main nos vies professionnelles et personnelles pour nous libérer de la pression. Nous nous sommes émancipées des attentes de notre entourage, nous avons rompu une relation professionnelle toxique et nous avons arrêté de mettre de la pression sur nos enfants. Cela nous a permis de nous développer et de mettre toute notre énergie dans des projets qui nous exaltent.

Mais le tableau serait trop idyllique si nous n'étions pas conscientes que la pression nous rattrape. Elle a changé de forme et s'appelle pression positive. C'est une pression de la joie d'entreprendre et de s'accomplir. Nous pourrions nous en réjouir et trouver cela « super cool ! » comme nous l'entendons souvent autour de nous, seulement les conséquences sont les mêmes si nous n'y prêtons pas attention : surcharge, fatigue, déséquilibre vie privée/vie professionnelle... et burn-out !

À l'heure où nous écrivons ces lignes, nous nous remettons à appliquer les conseils que vous allez trouver dans ces pages pour avoir une chance d'arriver au point final de ce livre... encore vivantes.

Ces conseils sont le fruit de plusieurs années de lecture, de pratique clinique, de rencontres et d'expériences partagées.

---

1. La Fabrique à Bonheurs est un organisme de formation et de conseil qui a pour mission de développer le sentiment de bien-être dans le travail et dans la vie privée. Nous aidons chacun à découvrir ses ressources et ses talents et à les activer grâce à des outils de psychologie et de pédagogie positive...

Vous risquez d'être déçus si vous cherchez dans cet ouvrage une méthode révolutionnaire, complètement inédite, pour éradiquer la pression en deux temps trois mouvements. En revanche, nous avons envie de partager avec vous notre cheminement, testé et approuvé par nos clients et par nous-mêmes.

Il repose sur cinq étapes qui permettent de cesser d'être esclave de soi-même et des autres et se libérer de la pression.

- Étape 1 :

  S'affirmer (sans se transformer en dictateur de la Corée du Nord)

- Étape 2 :

  Accepter d'être imparfait (sans faire dur)

- Étape 3 :

  Penser et organiser son travail autrement (avant de démissionner)

- Étape 4 :

  Être authentique (même avec des fausses dents) et laisser son empreinte

- Étape 5 :

  Fabriquer ses petits bonheurs (même si on est poche en bricolage)

Nous voulons qu'à la fin de ce livre, vous puissiez vous dire :

J'ai le droit de me tromper.

Ce n'est pas grave de ne pas être parfait.

J'ai le droit de ne pas accepter la pression que l'on me met.

Je peux faire autrement pour un résultat tout aussi efficace.

Je vais arrêter de mettre de la pression sur mes enfants, mon conjoint, mes employés, ma belle-fille, l'enseignante... et moi aussi.

Je choisis de vivre librement !

Comment faire pour que ce livre vous soit bénéfique et durable ?

Les cinq étapes proposées dans cet ouvrage sont l'amorce d'un processus, d'une démarche que vous pourrez entreprendre à votre rythme.

On entend souvent qu'il faut vingt-et-un jours pour changer ou installer une habitude. Ainsi, si vous voulez devenir fumeur, nous vous conseillons de fumer régulièrement pendant vingt-et-un jours ! Plus sérieusement, Philippa Lally, chercheuse en psychologie sociale à l'University College de Londres, a mené une étude sur le temps réellement nécessaire pour prendre une nouvelle habitude et qu'elle s'installe durablement. Les résultats ont montré qu'en moyenne, un nouveau comportement devient automatique après deux mois, soit soixante-six jours environ, mais cela varie d'une personne à l'autre, en fonction des circonstances et du comportement à changer. L'étude montre qu'il vous faut manifestement entre deux et huit mois pour développer une nouvelle habitude de vie.

Comme le dit James Clear – entrepreneur, haltérophile et photographe voyageur – dans son article paru dans le Huffington Post[2] : « Curieusement, les chercheurs ont aussi découvert que "rater une occasion de pratiquer le comportement n'affecte pas sensiblement le processus de formation d'habitude". En d'autres termes, ce n'est pas grave si vous flanchez de temps à autre. Prendre de meilleures habitudes ne fonctionne pas sur la base du "tout ou rien". »

En effet, il va vous falloir certainement plus de vingt-et-un jours pour adopter véritablement une nouvelle

---

2.   http://www.huffingtonpost.fr/james-clear/combien-de-temps-faut-il-pour-prendre-une-habitude-selon-la-science_b_5131357.html

habitude, alors concentrez-vous sur le long terme et ne mettez pas tout en l'air au premier faux pas. Eh oui, vous allez aussi découvrir que vous n'êtes pas parfaits, donc donnez- vous l'autorisation de tomber et de vous relever dans la foulée. Arrivés au vingt-et-unième jour, il va de toute façon vous falloir continuer, alors concentrez-vous sur le changement dans la durée…

En résumé, les vingt-et-un jours sont bien nécessaires pour démarrer, car cette méthode fixe un objectif réalisable et assez proche pour vous motiver. En revanche, si vous voulez un effet à long terme, prenez le temps de vous remettre en question, de tenter de nouvelles choses, d'évoluer et de trouver la voie de votre liberté.

C'est parti !

CHAPITRE PLATE MAIS NÉCESSAIRE

« La vie est à l'homme
ce que la pression est à la bière. »

ALPHONSE ALLAIS

Avant de vous accompagner sur le chemin de la transformation, nous devons vous donner quelques éléments théoriques afin de faciliter votre compréhension des cinq étapes.

LA PRESSION, DE KESSÉ ?

La définition physique de la pression est : « une force exercée sur une surface ». Le Larousse, quant à lui, définit la pression comme l'action de presser ou de pousser avec effort ou le fait d'être pressé, poussé.

Nous connaissons tous les expressions « être sous pression », qui signifie être énervé, impatient, en attente de quelque chose, et « faire pression sur quelqu'un » lorsque l'on parle de chercher à l'influencer, à l'intimider.

Dans le langage familier, l'expression « j'ai de la pression » signifie aujourd'hui « je suis en stress maximum » et/ou « je me sens contraint », sous-entendu « de faire quelque chose ou d'être ce que l'on attend de moi ».

Petit exercice pour démarrer

Et pour vous ? Listez toutes les expressions que vous connaissez reliées à l'idée de pression.

Vous avez vingt secondes !

Si vous manquez d'inspiration, une liste non exhaustive est à votre disposition à la fin de cet ouvrage (voir p. 235).

Avez-vous noté l'idée du presto ? C'est l'exemple même d'une invention qui a révolutionné la vie des ménagères en son temps, et qui est maintenant une image tout aussi utilisée dans le langage courant que dans les cuisines. Le presto, c'est l'invention de la cuisson sous pression qui permet de faire monter la température plus rapidement. Heureusement, l'ingéniosité du système réside dans le fait qu'une soupape de sécurité relâche la vapeur quand la pression dépasse 1,8 bar. Parfois, la soupape ne fonctionne plus et la cuisson se poursuit bien au-delà du seuil de sécurité. Et là... Boum!!!

Peut-être avez-vous déjà fait, comme nous, la malheureuse expérience d'un presto défaillant qui explose en pleine cuisine et se retrouve collé au mur? Pour les adeptes de saint Thomas, qui ne croient que ce qu'ils voient (ou même qui ne voient que ce qu'ils croient), nous vous conseillons d'écarter les personnes et les objets de valeur avant de tenter l'expérience. Bon courage!

Il en va de même pour tous les êtres humains. Certains attendent très longtemps avant d'ouvrir la soupape et là... Boum aussi!

Mais ce boum peut prendre plusieurs formes:

- l'explosion, autrement appelée «pétage de coche» en bonne et due forme, qui s'abat sur l'entourage et la vaisselle en porcelaine offerte par grand-maman Liette;
- l'implosion, autrement dit le pétage de coche interne, qui prend la forme d'un effondrement;
- et le plus pernicieux de tous, la cuisson à feu doux qui commence à vous consumer de l'intérieur jusqu'à carbonisation totale. Dans ce cas, c'est la cuisson qui a été trop longue. D'où l'expression «mourir à petit feu»?
- Il existe, en psychologie, un syndrome dit «syndrome du presto», plutôt lié à la colère réprimée et contenue trop longtemps et qui se libère de manière explosive faisant des dégâts sur le plan émotionnel, relationnel et matériel. Nous avons observé que ce syndrome pouvait s'étendre à d'autres sphères.

PRESSION, PRESTO, STRESS, MÊME COMBAT ?

Si l'on reprend l'expression « être sous pression » en tant que synonyme d'« être en stress maximum », il semble important de rappeler, comme l'a défini Hans Selye[3], que le stress n'est pas une maladie. C'est un syndrome général d'adaptation à son environnement (familial, social, matériel, professionnel... à la vie quoi!) sous forme de symptômes non spécifiques.

Par exemple, j'ai le trac avant de prendre la parole en public et mon cœur s'accélère, ce qui ne veut pas dire que je souffre d'une insuffisance cardiaque. Parfois, je m'adapte bien, parfois moins bien. Il s'agit ici de la difficulté à combler l'écart entre le prescrit (ce que l'on me demande) et le réel à un moment donné (ce que je vis et ce que je ressens).

Quand j'arrive à combler cet écart, même si j'ai ressenti du stress, une pression forte, l'issue positive me permet de décompresser et de retrouver un niveau de bien-être et d'énergie pour repartir une autre fois. Pas trop vite quand même !

Si, au contraire, je n'arrive pas à combler cet écart, le stress ressenti, la pression subie restent en moi et commencent leur travail de sape.

Quand nous parlons de pression, nous en distinguons trois formes :

- la pression subie : c'est la pression exercée sur nous par notre entourage, par la société et par l'environnement ;
- la pression intégrée : elle est le résultat d'une pression que nous avons subie depuis assez longtemps pour en

---

3. Hans Selye (1907-1982) est un endocrinologue austro-hongrois, pionnier des études sur le stress.

avoir intégré les codes. À ce stade, nous n'avons plus besoin de personne pour nous mettre la pression tout seul comme un grand ;

- la pression projetée : c'est la pression que nous exerçons sur les autres. Il faut bien qu'elle soit recyclée !

Ce qu'il faut bien comprendre, c'est la nature descendante et cyclique de la pression.

Il semble que nos sociétés modernes et occidentales aient mis en place un système de pression descendante dont nous faisons tous les frais.

En effet, dans une société qui met en avant les valeurs de performance, productivité et retour sur investissement, nous rencontrons, souvent (trop souvent à notre goût), des personnes surchargées de travail, soumises à un flux d'informations et de sollicitations continu, pressurisées par le temps et pour lesquelles une journée de vingt-quatre heures ne suffit plus. Quand il n'est pas question de chômage et d'insécurité sociale…

La situation économique et sociale est devenue de plus en plus morose. Le chômage plane au-dessus des têtes, tel un vautour. Dans ce contexte, la première des pressions subie est la nécessité de payer ses factures.

Dans une société qui glorifie le zéro défaut, on nous invite à croire que pour être heureux il vaut mieux, comme disait Coluche, un humoriste français célèbre, « être beau, riche et en bonne santé que moche, pauvre et malade ». Il faut être des super parents, des superwomen et des supermen. Il faut avoir les « habits qui font bien », une maison digne de faire la couverture du *Décormag*, des enfants qui sentent bon le savon et sont toujours heureux. Et nous devons être capables de mener de front toutes nos activités sans montrer de signe de fatigue et avoir toujours le sourire

Colgate. Un système où l'on entend : « Si t'as pas une Rolex à 50 ans, t'as raté ta vie » !

Vous sentez la pression monter, non ?

Continuons.

Les adultes ramènent, inconsciemment, cette pression dans la sphère privée et se mettent à l'exercer sur leurs proches (leurs enfants, leurs conjoints, leurs parents, leurs collatéraux…). Cela ne part jamais d'un mauvais sentiment, bien heureusement, il ne manquerait plus que ça. Nous voulons le meilleur pour ceux que nous aimons. Les parents veulent que leurs enfants réussissent ; entendez : aient un bon métier et soient heureux. Ils projettent leurs angoisses quant à un avenir incertain.

Les enfants récupèrent alors la pression, qu'ils subissent, qu'ils intègrent et qu'ils repasseront à leur tour. Ils arrivent d'ailleurs très tôt à l'imposer à leur entourage avec leurs fameux : « Maman, t'as pas signé l'agenda, je vais me faire tuer ! » ou « Papa, tu dois me déposer tout de suite à mon party, parce que je ne peux pas arriver le dernier ; c'est trop nul ! ». Et caetera, et caetera.

Nous sommes conditionnés pour subir cette pression générale, comme étant un allant de soi contre lequel nous ne pouvons pas lutter.

Mais profitons de cet instant pour nous adonner à un de nos péchés mignons : la chasse aux mythes. Eh oui, nous adorons chasser les mythes et nous sommes devenues des expertes anti-mythes. Pas le mythe, mythe comme le Minotaure et ses chums Icare, Sisyphe, Tantale et consorts (Casimir, Hippolyte et Mademoiselle Futée)… mais le mythe qui nous pourrit la vie !

LA CHASSE AUX MYTHES EST OUVERTE

Lorsque nous parlons de pression, c'est le grand rendez-vous des blagues faciles et d'une « psychologisation » à deux dollars. Chacun y va de son couplet (nous aussi finalement dans ce livre...).

Ce qui ressort le plus est un discours empreint de fatalisme. Nous subirions la pression ambiante comme nous subissons la pression atmosphérique. Nous remercions Jocelyne Blouin pour son apport pédagogique qui nous a permis de comprendre ce qu'était la pression atmosphérique : le poids de la masse d'air au sol.

Petit exercice atmosphérique

Avez-vous déjà ressenti le poids de la pression atmosphérique sur votre corps ? Cette impression que le ciel vous appuie sur la tête, provoquant au passage une bonne migraine.

Prenez un instant pour repérer l'endroit, ou les endroits, où la pression se manifeste le plus souvent chez vous. Remémorez-vous une situation où vous avez été sous pression.

Que ressentiez-vous ? Un étau autour du crâne ? Une boule dans la gorge ? Un poids sur la poitrine ? Un nœud à l'estomac ? Une course automobile dans vos intestins ? Un rave à l'intérieur de tout votre corps avec une vibration incessante ? Des crampes dans les jambes ? Un joug de cheval de trait sur vos épaules ? Un manteau de 330 lb ?

À vous de décrire avec vos mots la sensation de la pression dans votre corps.

Passons en revue dès à présent les trois plus gros mythes que nous avons glanés.

Mythe n° 1 : La pression c'est le mal du siècle

Nous sommes toujours amusées d'entendre les tournures journalistiques entrer dans le langage courant. Dans les années quatre-vingt-dix, le mal du siècle c'était le mal de dos. Dans les années deux mille, c'était les problèmes de sommeil. C'est comme un mille-feuille, les maux s'ajoutent aux précédents.

Aujourd'hui, l'on peut dire que le mal du siècle, c'est la pression. C'est comme ça, on n'y peut rien ! Voici typiquement une croyance qui ne vaut que parce qu'elle est entretenue à coups de déclarations péremptoires : « Tout le monde est sous pression ! »

Or la pression n'est pas plus le mal du siècle que le pâté chinois. Il n'y a pas de fatalité ! Donc coupons court à ce mythe qui ne mérite même pas que l'on s'y attarde plus longtemps.

Mythe n° 2 : Sans pression on ne peut rien faire

Pour peu que l'on ait connu un système éducatif à la dure, et même sans l'avoir vécu, nous baignons dans une pseudo-tradition judéo-chrétienne basée sur la souffrance, la culpabilité, le devoir. C'est pourquoi nous avons trop souvent tendance à penser qu'il faut souffrir pour... être belle, réussir, y arriver (barrer les mentions inutiles !).

Ce discours éducatif semble périmé, mais il persiste encore des croyances du genre : « on n'a rien sans rien », « si on réussit sans effort, ça n'a pas de valeur », « on ne gagne pas son pain sur le dos », etc. Certains parents disent même qu'il faut quand même se mettre une « petite » pression ou une « douce » pression autrement c'est la porte ouverte à l'oisiveté et à la médiocrité. Ces mêmes parents ne manquent pas de rappeler à leurs enfants que : « Ça c'est sûr, ce n'est pas en bouffant des pop tarts devant YouTube qu'on va vous retrouver sur un billet de cinquante dollars[4]. »

Ce à quoi nous répondons qu'il n'existe pas de « petite » ou « douce » pression. Dès lors que nous rentrons dans ce système d'attente de performance qui doit, si possible, arriver rapidement ; dès lors que la seule chose que nous demandons à nos enfants quand nous les retrouvons après l'école est : « T'as eu des notes ? T'as eu combien ? Ils ont eu combien, les autres ? » ; ou encore, quand nous nous entendons dire : « T'as fait tes objectifs ? T'as eu combien de prime cette année ? », « T'as perdu combien avec ton régime ? » Nous jouons le mauvais jeu de la pression qui pèse sur nos épaules.

Quant à se préparer à la « vraie vie », nous ne jouons pas les candides pour autant. Lorsque nous regardons la réalité du monde du travail aujourd'hui, nous ne pouvons pas écarter le fait qu'elle est devenue difficile (stress, incertitudes quant à l'avenir, etc.).

Doit-on, néanmoins, habituer les enfants très tôt à souffrir et à porter une pression dont les conséquences seront du mauvais stress et une perte de confiance en soi qui les fragiliseront toute leur vie ? Ou doit-on, au contraire, se dire que pour les préparer à affronter des épreuves difficiles, il vaut mieux les avoir outillés, avoir renforcé leur estime de soi et la confiance en leurs capacités pour être des adultes mieux armés et responsables de leur bien-être ? Nous vous laissons choisir la réponse qui vous convient.

A-t-on besoin de recevoir de son patron cinquante courriels dans la même journée pour vérifier que le dossier

---

4. Nous n'avons pas résisté à cette hilarante tirade adaptée d'un sketch de Valérie Lemercier, intitulé *Porcherie cinq étoiles* (2009)

pour les Chinois est bien terminé, validé, sans erreur ? Cela va-t-il nous aider à être plus performants et plus zen pour la négociation à venir ? Ou cela va-t-il renforcer le manque de confiance et la perte des moyens le jour J ? Nous vous laissons choisir la réponse qui vous convient, bis.

A-t-on besoin d'entendre son cher et tendre répéter deux fois par jour pendant quinze jours (ne pas dépasser la dose prescrite) : « Tu vas les ranger quand les papiers et les courriers qui sont sur le meuble de l'entrée ? » Cela va-t-il me faire agir plus vite ou réagir au quart de tour ? Nous vous laissons choisir la réponse qui vous convient, ter.

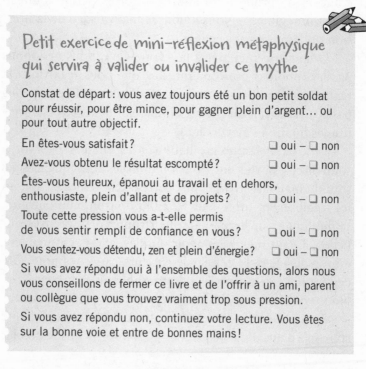

Petit exercice de mini-réflexion métaphysique qui servira à valider ou invalider ce mythe

Constat de départ : vous avez toujours été un bon petit soldat pour réussir, pour être mince, pour gagner plein d'argent... ou pour tout autre objectif.

En êtes-vous satisfait ? ❑ oui – ❑ non

Avez-vous obtenu le résultat escompté ? ❑ oui – ❑ non

Êtes-vous heureux, épanoui au travail et en dehors, enthousiaste, plein d'allant et de projets ? ❑ oui – ❑ non

Toute cette pression vous a-t-elle permis de vous sentir rempli de confiance en vous ? ❑ oui – ❑ non

Vous sentez-vous détendu, zen et plein d'énergie ? ❑ oui – ❑ non

Si vous avez répondu oui à l'ensemble des questions, alors nous vous conseillons de fermer ce livre et de l'offrir à un ami, parent ou collègue que vous trouvez vraiment trop sous pression.

Si vous avez répondu non, continuez votre lecture. Vous êtes sur la bonne voie et entre de bonnes mains !

Le mythe « sans pression on ne peut rien faire » est encore plus pernicieux lorsqu'il s'applique à cette croyance que l'intelligence est forcément gage de réussite, du genre : « si t'es intelligent, tu dois réussir », ou « de bonnes capacités, mais peut mieux faire… ».

Quand un enfant est intelligent, entendez, dans notre système, qu'il a de bonnes notes, on fait peser sur lui une obligation de résultats. À partir du moment où les adultes ont découvert qu'il avait des capacités, l'enfant n'a pas d'autres choix que de réussir. Si cette croyance était vraie de façon absolue, on ne retrouverait pas 30 % d'enfants dits « surdoués » en échec scolaire, voire en décrochage à partir du secondaire 2. Cette croyance fait planer, au-dessus des têtes de nos enfants, une épée de Damoclès : perdre son statut d'excellence et décevoir ses parents, et l'on ne se débarrasse pas de cette épée si facilement.

En effet cette injonction de réussite engendre du stress de performance qui se traduit par une hyperactivité ou une inhibition dues à une surstimulation. Il faudrait que les enfants soient bons à l'école, qu'ils terminent leurs études diplômés, qu'ils soient champions de tennis ou de natation, qu'ils excellent dans la pratique d'un instrument de musique et qu'ils parlent plusieurs langues dont le chinois (car c'est l'avenir, paraît-il). Chaque sortie doit être éducative et productive avec un bon retour sur investissement. La simple joie de partager du temps non productif ensemble ne suffit pas, semble-t-il.

Et dans le monde des adultes, c'est la même chose bien évidemment. Au travail, l'injonction de réussite engendre une pression de performance. Si vous êtes le meilleur représentant de votre entreprise, que 8 produits sur 10 au top des ventes sont les vôtres, impossible de « descendre » dans les palmarès l'année suivante. Vous allez viser le 9 produits sur 10, voire 10 sur 10. Vous allez prendre sur vos jours de congé pour finaliser les dossiers, arriver plus tôt au travail et repartir plus tard pour tenir les objectifs (mais vous le faites peut-être déjà ?). L'hyperactivité est au rendez-vous. Il devient urgentissime de tordre définitivement le cou à ce mythe qui nous entraîne dans une spirale infernale et épuisante.

Mythe n° 3 : Celui qui ne résiste pas à la pression est un faible

Nous rencontrons cette croyance dès l'école et la retrouvons dans les études supérieures et dans l'entreprise. Pour l'illustrer, voici deux histoires véridiques certifiées conformes (les prénoms ont été modifiés).

Entendu devant la machine à café dans une grande entreprise

Trois salariés prennent leur café, comme tous les matins. Ils constatent qu'une de leurs collègues est absente. S'ensuit l'échange suivant :

« Bah, elle est pas là, Annabelle ?

– T'es pas au courant ! Il paraît qu'elle est en arrêt. Elle fait un burn-out.

– C'est pas possible. Oh la pauvre ! Enfin… faut dire aussi qu'elle est fragile. Elle supporte pas bien la pression…

– T'as raison, elle est pas assez endurcie. Elle prend tout trop à cœur. »

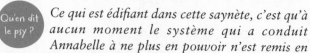 *Ce qui est édifiant dans cette saynète, c'est qu'à aucun moment le système qui a conduit Annabelle à ne plus en pouvoir n'est remis en question par les collègues qui sont persuadés que si cela lui arrive à elle, c'est qu'elle n'est quand même pas très résistante. Ce qui est sous-entendu, c'est qu'Annabelle ne tient pas le choc, alors qu'eux oui… Mais jusqu'à quand ? Dans ce genre de situation, pourtant très répandu, c'est toujours celui qui craque qui porte seul la responsabilité de ce qui lui arrive.*

Entendu dans le bureau d'un psychologue

Juliette arrive en consultation. Elle semble accablée de tristesse. Après un parcours au secondaire très brillant, elle est aujourd'hui étudiante en maths dans une prestigieuse université. Elle nous confie qu'un de ses camarades s'est suicidé trois jours avant dans sa chambre. Elle exprime toute sa tristesse. À la question : « Éprouves-tu de la colère ? », elle répond : « Non, je suis très triste pour lui et pour sa famille. C'était un gentil garçon mais je pense qu'il était aussi très fragile et qu'il n'avait pas le mental pour ce genre d'études. »

Encore une fois, nous retrouvons la même croyance qui consiste à dire que résister à un système qui pressurise est une question de force psychologique.

Nous observons la jeune fille. Un élément attire notre attention : elle est couverte d'eczéma de la tête aux pieds. Quand nous le lui faisons remarquer, elle répond très naturellement : « Oh ça, c'est rien, j'ai l'habitude, ça fait deux ans que ça dure… »

Nous sommes régulièrement ébahies que nos clients ne fassent pas le lien entre le langage du corps et les situations douloureuses. La puissance du déni nous scotche toujours autant dans notre pratique.

Nous apprendrons un an après que Juliette, après avoir réussi le concours d'entrée à une grande école d'ingénieurs, a préféré suivre la formation pour devenir prof de maths. Elle a retrouvé de la joie et une peau douce.

Nous vous laissons méditer sur ces deux histoires…

Tous ces mythes, assénés de manière péremptoire, ont valeur de vérité universelle. Or, ils n'ont de valeur que parce que l'on y croit. Nous en sommes même intimement persuadées puisqu'ils sont repris en boucle, de génération en génération. Le « si tout le monde le dit, c'est que ça doit être vrai ! » fait office de certificat d'authenticité.

Cependant, si l'on démonte un tant soit peu le mécanisme, cela nous ramène à cette phrase, entendue ô combien de fois : « Je sais ce qui est bon pour toi ! » donc « Je te mets de la pression pour ton bien et tu m'en remercieras plus tard ». Cette dernière remarque fonctionne d'ailleurs dans tous les cas de figure : parent-enfant, patron-employé, ami-ami, etc. Comme la sagesse populaire l'affirme : « L'enfer est pavé de bonnes intentions. »

Mais au-delà des croyances, notre corps et nos émotions nous racontent des choses. Écoutons-nous un peu plus. Et prenons conscience qu'au nom de ces croyances, nous acceptons souvent l'inacceptable, car nous ne voulons pas passer, aux yeux des autres, pour celui ou celle qui est en marge du système et risquerait d'être rejeté et exclu.

Au-delà de ces mythes que nous ne cautionnons absolument pas, nous constatons bel et bien que la pression réussit à nous pourrir la vie. Comment cela se fait-il ?

MAIS COMMENT S'EXERCE CETTE PRESSION ?

Au fil de nos observations, nous avons distingué les manières dont la pression s'exerce. Le plus souvent, c'est à travers le jugement, l'injonction et l'influence qu'elle se manifeste le plus.

Le jugement

En quoi le jugement engendre-t-il une pression ?

Le jugement engendre une pression car il vient saper l'estime et la confiance en soi. Pour peu que ces deux-là ne soient pas suffisamment installées et/ou solides, ça marche !

La confiance en soi, c'est le sentiment intime que possède une personne en sa capacité de bien avancer dans la vie, de se débrouiller, de s'adapter, d'entrer en relation avec les autres, de prendre les bonnes décisions et de réussir ses projets. Elle repose sur une bonne estime de soi qui est le sentiment profond d'avoir de la valeur, d'être aimable (au sens de pouvoir être aimé) et d'être accepté pour qui l'on est.

Une bonne confiance et une bonne estime permettent de s'épanouir harmonieusement et de devenir un adulte bien dans sa tête et bien dans ses espadrilles (ou ses talons hauts). Or, la plupart de nos clients, petits et grands, disent avoir peur du jugement des autres et reconnaissent porter, fréquemment, un jugement négatif sur eux-mêmes. Même leurs réussites sont très souvent dévalorisées.

Le jugement démarre dès notre arrivée au monde et ne s'arrête pas. Il arrive de toutes parts : parents, famille, enseignants, amis, ennemis, collègues, patron, etc. Force est de constater qu'il est difficile de s'abstenir de porter des jugements sur soi ou sur les autres. Nous sommes des êtres sociaux qui vivons sous le regard d'autrui. Que le jugement soit positif ou négatif, il nous enferme dans un schéma, dans une catégorie à laquelle nous allons essayer de nous conformer inconsciemment. La pression vient de la réponse que nous donnons à ces attentes ; celles des autres ou les nôtres.

Qui dit jugement dit évaluation constante. Cette évaluation commence dès l'école avec les notes. Dans notre système, nous évaluons l'enfant par rapport à un niveau de connaissances dans l'absolu, d'une part, et nous l'évaluons par rapport aux autres, d'autre part.

Je me compare, on me compare, on me colle une étiquette : « la timide », « le sérieux », « le clown », « la paresseuse » ; et je colle des étiquettes : « la toutoune », « le grand tarla », « la chialeuse », « le nono » etc. Je me mets en compétition avec moi ou avec les autres, même sur des choses insignifiantes.

Nous sommes, dès lors, conditionnés dès le plus jeune âge à accepter la règle de l'évaluation et de la comparaison constante.

Cette évaluation continue toute la vie durant, à tous les niveaux. Par exemple : « Ma tarte aux pommes est-elle vraiment meilleure que celle de ma voisine ? » (Bree Van de Kamp, *Beautés désespérées*), « Ma voiture va-t-elle plus vite que celle de mon voisin ? » (Brian O'Connor, *Rapides et dangereux*), « Mon instrument de travail est-il plus puissant que celui de mon collègue ? » (Rocco Siffredi et Luciano Pavarotti). Vous avez compris le truc ?

L'influence

Pourquoi influence et pression font-elles bon ménage ?

Dans la définition du mot « pression », nous trouvons une référence politico-économique aux « groupes de pression », c'est-à-dire les groupes qui tentent d'influencer des décideurs, voire d'intimider une ou plusieurs personnes pour satisfaire leurs propres intérêts.

Cette référence, nous pouvons la transposer à la « vraie vie ». Eh oui, dans la vraie vie, les groupes de pression s'appellent : les parents, les amis, les collègues, les enseignants et les bien-pensants de tous bords. Il existe également un groupe de pression qui ne comporte qu'un seul membre : le conjoint. Pour des raisons qui lui sont propres et qui partent d'un bon sentiment, en général, il tente d'influencer nos choix, nos décisions et/ou nos opinions.

« Ça se fait/Ça ne se fait pas », « Ça se dit/Ça ne se dit pas », « Tu devrais faire ci », « Tu dois aimer ça »... sont autant de petites phrases qui visent à nous orienter et à conditionner nos actes pour une mise en conformité avec les attentes des uns et des autres.

Il devient, dès lors, difficile de s'émanciper de cette influence. Or, si l'on considère que chacun est censé être « décideur » de sa propre vie, il semble nécessaire de savoir faire du tri sélectif. Qu'est-ce que je garde ? Qu'est-ce que je jette ? Nous y reviendrons un peu plus tard (voir p. 61).

Les injonctions

Comment les injonctions nous mettent-elles une bonne grosse pression ?

Les injonctions les plus récurrentes sont de deux types : les injonctions liées à la performance et celles liées au temps.

Les injonctions de performance ou de perfection

Ce sont celles basées sur une idée de perfection, d'accomplissement et de réussite modélisés. Ce sont aussi ces injonctions qui nous laissent croire que l'on ne peut être heureux qu'au-dessus d'un certain montant en dollars sur notre compte en banque et en fonction du nombre de titres sur notre carte d'affaire, qu'en dessous d'un nombre de livres sur la balance et de rides ou points noirs sur notre visage.

C'est ainsi que la majorité des parents que nous rencontrons en consultation souhaitent que leurs enfants s'orientent vers des études scientifiques.

Petit exercice de créativité

Nous vous invitons à aller vous promener dans les rayons développement personnel d'une librairie. Vous y trouverez sous forme de jolis livres toutes les injonctions actuelles. À titre d'exemple, nous vous en livrons quelques-unes :

> Comment faire grimper votre chum au rideau en dix leçons (sans qu'il en redescende).

> Comment avoir une Rolex à 50 ans.

> Perdez 100 lb sans perdre un os en une semaine.

> La méthode de Bree Van de Kamp pour recevoir et épater vos voisins.

> Parents parfaits, c'est possible ! Faut juste s'en donner la peine, bande de lâches.

> Mange sain, mange rien !

> La femme parfaite existe, toutes les autres sont des... « grosses cruches ».

Bon OK, nous sommes démasquées : tous ces titres proviennent de nos cerveaux déjantés mais nous ne sommes pas si loin de la réalité, malheureusement. À vous maintenant d'imaginer au moins cinq titres de livres qui reprennent les injonctions actuelles et que l'on pourrait retrouver au rayon développement personnel de votre librairie.

Ce petit jeu peut aussi être fait à la pause au bureau pour faire retomber la pression et/ou pour égayer un souper entre amis.

Les injonctions de temps ou le syndrome du lapin d'*Alice au pays des merveilles*

En 1865, Lewis Carroll mettait en scène dans son roman un petit lapin qui ne cessait de répéter : « En retard, en retard, en retard, je suis en retard », les yeux rivés sur sa montre à gousset, dans une course sans fin.

Aujourd'hui, le lapin d'Alice est toujours vivant et incarne le quotidien d'une majorité d'entre nous. Le « en retard, en retard » s'est enrichi des : « dépêche-toi », « j'ai pas le temps de faire une pause », « on est dans l'jus », etc.

Il est intéressant de constater que l'expression « être pressé » revêt le double sens de « pressé par le temps » et « être sous la pression du stress ».

Dans le monde du travail, l'injonction du temps est omniprésente et se traduit par des délais de plus en plus courts pour accomplir des objectifs souvent inatteignables.

Comment faire entrer une famille d'éléphants dans une Fiat 500 ?

L'injonction liée au temps a considérablement augmenté avec l'utilisation systématisée des nouvelles technologies. « Bah oui, franchement, mettre plus de cinq minutes pour répondre à un texto ou à un courriel c'est vraiment faire preuve de mauvaise volonté quand on a un téléphone intelligent en permanence dans la poche ! »

Petit exercice à faire sans mentir

Comptez combien de fois, dans une même semaine, vous avez dit ou entendu : « dépêche-toi, on va être en retard ! » ou « faut que je me dépêche, je vais être en retard ».

Comment se fait-il, alors que nous ne sommes pas dupes de tous les facteurs de pression, que nous acceptions de subir et de faire subir autant de pression sur des petites épaules (la carrure n'ayant rien à voir dans l'histoire).

ET POURQUOI ÇA MARCHE AUSSI BIEN ?

Dans tout bon tour de magie, il y a un secret. C'est ce que les magiciens appellent, dans leur jargon, le prestige ; le ressort caché. Pour la pression, il en va de même. Le ressort caché, dès lors que l'on parle de pression, revêt plusieurs masques (culpabilité, narcissisme, envie de réussite), mais il n'a qu'un nom : la peur.

En plus de dix ans de consultations, de centaines de clients entendus et accompagnés, quels que soient leur âge, leur niveau social et/ou le motif de la consultation, nous pouvons dire que la peur est la même pour tous :

- peur de ne pas être aimé ;
- peur de ne pas être accepté ;
- peur de ne pas être reconnu ;
- peur de ne pas y arriver.

Donc de ne pas être aimé et ainsi de suite. Un joli serpent qui se mord la queue.

C'est pour contrecarrer cette peur profonde et viscérale que nous cherchons très souvent à combler les attentes des autres, à commencer par celles de nos parents.

Au nom de l'amour et partant du principe que les parents ne sont pas des pervers (à de rares exceptions près) et que leurs injonctions et conseils en tout genre partent d'une bonne intention, nous ne les remettons en cause que très rarement (pour ne pas dire jamais).

C'est ainsi que nous essayons de nous rendre aimables (au sens d'être dignes d'être aimés), de faire le maximum pour que notre valeur, nos compétences et nos qualités soient reconnues et valorisées. C'est ce que l'on appelle le narcissisme, le fondement de la confiance en soi.

Attention, le mot narcissisme est souvent mal compris car associé à une idée d'égocentrisme ou de perversion narcissique. En psychanalyse, le narcissisme est l'amour qu'un sujet se porte. Rien de pathologique là-dedans, c'est une dimension importante et normale du développement de chaque individu. Si l'on traverse harmonieusement chaque étape de la constitution du narcissisme, alors nous pouvons acquérir une bonne estime de soi, une autonomie, de l'assurance, de la capacité à entreprendre et à faire confiance aux autres.

Le narcissisme ne pose problème que lorsqu'il est hypotrophié ou hypertrophié, à savoir les complexes d'infériorité ou de supériorité qui vont avoir une incidence dans notre rapport à nous-mêmes et dans notre rapport aux autres.

La peur de ne pas être aimé, reconnu et valorisé continue son petit bonhomme de chemin au fil des étapes de notre développement. Nous entendons souvent nos clients, nos amis et les membres de notre famille se justifier d'être sous pression en mettant en avant leurs peurs : « si je refuse de prendre en charge ce énième dossier, je risque de me faire renvoyer », « j'ai peur que tout le monde me tourne le dos si je reste avec cette fille (ou ce garçon) », « si je ne réussis pas mes examens, je risque de redoubler », etc.

Petit exercice pour dire ses peurs

Pour vaincre un ennemi, il faut déjà le connaître.

Pour surmonter votre peur de ne pas être aimé, nous vous laissons lister vos propres peurs. Sachez qu'il n'existe pas de peurs légitimes et d'autres illégitimes. Elles sont personnelles et toujours liées à notre histoire.

À propos de la peur, nous vous conseillons de lire ce que Jacques Salomé nous enseigne dans son excellent conte *Le Magicien des peurs*[5]. Derrière chaque peur se cache un désir. Si j'ai peur d'échouer, cela signifie que mon désir profond est celui de réussir.

---

5. Jacques Salomé, extrait de *Contes à guérir, contes à grandir*, Albin Michel, 1993.

L'envie de réussir est légitime et bénéfique. En généralisant, poursuivre ses désirs, entendez ceux qui sont essentiels à notre épanouissement en tant qu'êtres humains, est légitime et bénéfique. Tout dépend de l'objectif poursuivi.

Si j'ai envie de réussir pour ne pas décevoir, pour faire plaisir, au final pour être aimé, alors je vais me mettre en difficulté car je vais accepter une pression à tout prix en en rajoutant une couche si nécessaire.

À l'inverse, si mon envie de réussir poursuit un but plus grand qui consisterait à me réaliser, m'épanouir, être utile aux autres et contribuer au monde (même à un petit niveau), alors je vais plus facilement réussir à me libérer de la pression pour mettre en œuvre mon projet de vie.

Est-il utile de rappeler que, dans la vie, tout a un prix. Comme le disait saint Paul (Co 6,12) : « Tout m'est permis, tout ne m'est pas profitable. » Le choix que je vais faire aura des conséquences.

Si je choisis de poursuivre un objectif motivé par la peur, je vais me mettre de la pression, en me disant que je ne peux de toute façon pas faire autrement. Mais attention, car ce choix aura des conséquences néfastes, dont nous serons les témoins en colère dans notre quotidien.

LE POIDS DE LA PRESSION : DES CONSÉQUENCES INQUIÉTANTES

Les effets de la pression sont bien réels, nous les rencontrons quotidiennement lors de nos consultations. Voici donc une liste non exhaustive de nos observations cliniques des effets de la pression :

- un perfectionnisme accru : attention, ce perfectionnisme est souvent légitime et valorisé comme le gage d'un souci de bien faire et de professionnalisme ;
- des troubles cognitifs : des difficultés de concentration, une mémoire défaillante, une impression d'avoir une mémoire de poisson rouge (à ne pas confondre avec la dégénérescence cellulaire post-80 ans, ou avant) ;
- une paralysie en augmentation : ne rien faire plutôt que de mal faire, se sentir verrouillé et en incapacité d'effectuer certaines tâches ;
- des acouphènes : bruits incessants dans les oreilles comme des bourdonnements et des sifflements ;
- de l'hypertension artérielle et des troubles cardio-vasculaires ;
- des comportements tyranniques : notamment les comportements directifs et autoritaires rapatriés dans la sphère privée ;
- des troubles du sommeil : difficulté à l'endormissement, réveils nocturnes sans rendormissement possible, sommeil non réparateur, fatigue au réveil ;
- des troubles du comportement alimentaire : anorexie, boulimie, hyperphagie, compulsions alimentaires (exemple : 10 heures du matin et vous en êtes déjà à votre vingt-et-unième trou de beigne !) ;
- des tics et TOC (troubles obsessifs-compulsifs) : qui ne sont pas que les écureuils de Disney. TOC de vérification, de propreté et tout autre rituel ; pour les tics, l'expression la plus visible est celle de l'épaule d'un ancien président de la République française se soulevant frénétiquement à intervalles réguliers ;
- une fatigue générale : physique, chronique, intellectuelle, avec une impression de n'avoir jamais assez dormi et de n'avoir pu récupérer ;

- des maladies à répétition : impression d'être enrhumé tout au long de l'année, d'avoir des troubles digestifs qui ne s'arrêtent pas malgré les médicaments... et tout autre mal chronique ;
- des troubles musculo-squelettiques ;
- une consommation excessive d'alcool, de drogues et/ou d'anxiolytiques ;
- des troubles sexuels : perte de la libido, troubles de l'érection (même avant 40 ans), perte du plaisir ;
- perte de la joie, du bonheur, de l'enthousiasme, de la créativité, de la convivialité, du goût de vivre, qui conduit à l'isolement ;
- burn-out (qui ne touche pas que les adultes) ;
- dépression ;
- suicide.

Nous précisons que cette liste n'est pas exhaustive et n'a pas valeur d'autodiagnostic. En effet, les troubles mentionnés ne sont pas exclusivement caractéristiques d'une trop forte exposition à la pression.

En revanche, si vous avez coché plus de la moitié des symptômes et en fonction de leur intensité, nous vous conseillons vivement de :

- prendre des vacances ;
- consulter un spécialiste ;
- partir sans laisser d'adresse ;
- lire ce bouquin jusqu'au bout.

Ça fait peur, non ? Oui, c'est vrai, c'est un constat inquiétant et d'actualité qui s'étend à tous les secteurs d'activité, professionnels ou non, et qui concerne des sujets de plus en plus jeunes.

Alors, cette pression « nécessaire » et « naturelle » vaut-elle vraiment ce prix-là ? Non, absolument pas ! Aucun patron, aucun travail, aucun conjoint, aucun enfant, aucun parent ne justifie de souffrir, de se sentir nul et de scraper sa vie et sa santé.

Mais la bonne nouvelle, c'est que l'on peut faire autrement. Supprimer la pression est une nécessité de santé publique. Se sentir bien et être heureux, même avec une activité dense, est un choix, il est temps de savoir ce qui nous convient le mieux.

Nous vous invitons à nous suivre sur votre chemin – étape après étape –, celui de votre libération de la pression, pour que vous cessiez d'être esclave des autres et de vous-même.

Comme vous l'avez compris, tordre le cou à la pression est un objectif ambitieux tant ses racines sont profondes. Chaque étape que nous vous proposons a pour but une prise de conscience et l'initiation d'un changement. Cependant, nous savons par expérience que la voie du changement est souvent longue et sinueuse.

ÉTAPE 1

S'AFFIRMER

(SANS SE TRANSFORMER EN DICTATEUR DE LA CORÉE DU NORD)

« Les miracles arrivent quand vous mettez autant d'énergie dans vos rêves que vous en mettez dans vos peurs. »

RICHARD WILKINS

QUI N'A JAMAIS… eu envie de dire à sa cousine Joëlle qu'elle commençait sérieusement à nous casser les… pieds avec sa compilation des années quatre-vingt en boucle à chaque party de famille ? Et au lieu de ça, s'être entendu lui dire que c'était « vraiment le fun pour l'ambiance » ? Arghhh !

Qui n'est jamais resté muet comme une carpe face aux reproches injustifiés d'un boss complètement hystérique ? Et a refait le match tout seul dans son lit, et dans sa tête, le soir, retrouvant sa verve et ses arguments pour clouer le bec au petit pervers pépère ?

Pourquoi n'osons-nous pas affirmer ce que nous voulons vraiment, désirons profondément ? Et pourquoi tenons-nous tant que ça à faire plaisir à tout prix, même à Joëlle que nous ne voyons qu'une fois par an (plus mariage et enterrement en fonction des années) ?

JE PRENDS CONSCIENCE

Avant de savoir comment s'affirmer, il est important de savoir de quoi l'on parle. Nous avons souvent tendance à faire un amalgame entre s'affirmer et se transformer en dictateur.

QU'EST-CE QUE L'AFFIRMATION DE SOI ?

L'affirmation de soi, c'est savoir exprimer son opinion, ses sentiments et ses besoins. C'est exprimer ce que nous ressentons. C'est une attitude intérieure qui consiste à croire que nous avons une valeur (estime de soi). De cette croyance découle l'assurance de pouvoir agir face à nos besoins et à notre environnement (confiance en soi). C'est une manière de communiquer à notre environnement (conjoint, famille, amis, etc.) ce que nous ressentons et ce que nous voulons.

S'affirmer est souvent difficile, beaucoup d'entre nous n'ayant pas ou peu été autorisés à parler de leurs sentiments ou de leurs besoins ni à donner leur avis, même imparfait.

La pyramide de la confiance en soi

(d'après Dr Frédéric Fanget, *Oser*, Odile Jacob, 2006)

S'affirmer, c'est aussi prendre le risque d'être confronté à la désapprobation de l'autre, à son jugement négatif et à sa déception, voire à son rejet. Et parfois le risque nous apparaît aussi gigantesque que le Grand Canyon.

L'affirmation de soi n'est donc possible que si nous avons une assez bonne estime de nous-mêmes et une assez bonne confiance en nous-mêmes.

QUAND LE MANQUE D'AFFIRMATION NOUS MET LA PRESSION

Imaginez que vous êtes un presto dans lequel vous entassez toutes vos frustrations à chaque fois que vous n'exprimez pas vos émotions négatives, vos limites et vos opinions.

La pression commence à monter. Imaginons que vous fermez bien le couvercle et bouchez la soupape pour être sûrs que rien ne sorte. Que se passe-t-il au bout d'un moment ?

Sous l'effet de la pression, vous allez commencer à bouillonner à l'intérieur. Comme nous l'avons évoqué au « Chapitre plate mais nécessaire », vous risquez soit d'exploser, soit d'imploser.

Si vous explosez, votre colère va jaillir et s'abattre sur la première personne ou le premier objet qui a le malheur de se trouver sur votre chemin. Cris, mots blessants qui dépassent souvent votre pensée, bris du service en porcelaine que vous avez reçu pour votre mariage, chaises qui volent à travers le salon, roulades hystériques par terre, morsures… Souvent, la victime de votre pétage de coche subit, l'air hagard, ne comprenant pas comment une parole maladroite a pu déclencher une telle crise.

Si vous implosez, votre colère ne va pas jaillir mais va se retourner contre vous insidieusement. Vous allez vous consumer de l'intérieur. À défaut d'exprimer par des mots vos émotions, vos opinions, vos besoins et vos valeurs, votre corps va développer des maux en tous genres: angines à répétition, maux de dos, migraines, hypertension artérielle, troubles digestifs, troubles psychiques (dépression) et psychosomatiques.

Stéphane, 41 ans, pianiste désaccordé

Stéphane vient nous consulter car il est en arrêt de travail depuis un mois pour une douleur paralysante à la main droite. Il a vu tous les spécialistes et les examens n'ont montré aucune cause fonctionnelle.

Au cours des séances, il nous raconte qu'il subit un harcèlement au sein de l'orchestre dans lequel il joue. Cela fait des mois qu'il encaisse sans rien dire les humiliations et la pression exercée sur lui afin qu'il démissionne (technique bien connue chez les employeurs peu scrupuleux qui souhaitent éviter les frais d'un licenciement). Outre le fait que sa maladie l'empêche de travailler, il regrette de ne plus pouvoir jouer du piano pour son plaisir.

Lorsque nous lui demandons pourquoi il se laisse faire comme ça au travail, il répond qu'il n'aime pas les conflits : « Je risque de trop m'énerver si je leur dis vraiment ce que je pense ! Et je n'ai pas envie de me transformer en monstre. »

Nous lui demandons ce qu'il voudrait dire s'il était sûr de pouvoir garder son calme : « Je dirais à mon patron que je n'accepte pas d'être traité de la sorte, que ses propos à mon encontre sont désobligeants et très humiliants. Je lui dirais que j'aime mon travail et que je suis bon dans mon art. J'ajouterais que s'il ne veut pas travailler avec moi, pour des raisons personnelles, il doit avoir le courage de me licencier et d'en assumer les conséquences. » Après quelques entraînements de mise en situation, Stéphane rode bien son discours. Deux semaines plus tard, il demande un entretien avec son supérieur pour lui faire part de son ressenti. Dans les jours qui suivent, la douleur à la main disparaît complètement.

Qu'en dit le psy ? *Stéphane a été licencié et a retrouvé une place dans un orchestre où l'harmonie règne. Il nous a avoué que cette expérience lui a été également bénéfique dans sa vie privée. Il se sent beaucoup plus libre de s'exprimer.*

Et vous ? Qu'auriez-vous fait ?

Si vous êtes dans une situation semblable à celle de Stéphane, au travail ou hors travail, il est temps de trouver votre manière d'exprimer votre ressenti.

Élisabeth, 38 ans, ou le syndrome Mère Teresa

Élisabeth arrive en consultation épuisée, adressée par son médecin. Elle explique qu'elle s'occupe de tout le monde. Son mari, ses enfants mais aussi ses parents, parce que ses frères et sœurs ne sont pas disponibles, ses beaux-parents, parce que leurs enfants ne sont pas disponibles, les voisins… Elle adore « aider les autres », elle est serviable « c'est ma nature ! ». Elle n'a pas le temps de prendre du temps pour elle parce qu'elle « n'est pas égoïste ». Mais aujourd'hui, Élisabeth n'arrive plus à faire face à toutes les demandes, les obligations qu'elle s'impose, les services qu'elle rend « parce que c'est normal ! ».

Après quoi court-elle jusqu'à l'épuisement ? Nous lui demandons de nous raconter son enfance. Elle éclate en sanglots et lâche du bout des lèvres : « Je ne suis pas une enfant désirée. Ma mère ne voulait pas d'un deuxième enfant. J'ai vite compris que pour être aimée et tolérée il fallait que je sois gentille et serviable. »

Qu'en dit le psy ? *L'histoire d'Élisabeth n'est malheureusement pas un cas isolé. Combien de femmes et d'hommes n'osent pas fixer de limites, sont corvéables à merci et s'épuisent à être gentils avec tout le monde au nom d'une croyance : « Si tu veux être aimé et accepté, il faut que tu combles les désirs des autres » ? Combien de gens « s'oublient » dans cette quête sans fin ?*

Combien sommes-nous à croire que penser à soi et oser s'affirmer, c'est être égoïste ? Qu'exprimer son besoin, c'est être égoïste ?

Comment faire en sorte que les autres respectent nos besoins si nous-mêmes ne nous respectons pas ?

Dans notre éducation judéo-chrétienne, l'on confond fréquemment affirmation de soi et égoïsme. La générosité et la serviabilité envers les autres sont généralement érigées comme les compétences sociales primordiales, souvent au détriment du respect de soi et de l'amour de soi. C'est une vision très manichéenne des rapports humains. D'un côté les gentils qui ne font pas de vagues, ne dérangent pas, aident leur prochain et comblent les désirs d'autrui; de l'autre côté, les méchants individualistes, qui ne pensent qu'à eux, sont complètement égocentrés et sur lesquels on ne peut jamais compter.

Petit exercice pour arrêter d'être « trop gentil »

Et vous? Comment vous situez-vous par rapport à ces croyances? Qu'acceptez-vous au point d'y perdre votre énergie?

Par exemple: Je pense qu'un fils ne peut rien refuser à sa mère. Notre mère nous a donné la vie et c'est le plus grand des cadeaux. Donc j'accède à tous ses désirs même quand cela ne m'arrange pas.

Ces croyances sont bien évidemment trop simplistes et nous remarquons pourtant à quel point elles sont ancrées dans les esprits et participent à entretenir le système de la pression ambiante. Au nom de ces croyances, nous acceptons de nous charger comme des mules, nous autorisons des déséquilibres relationnels qui nous minent le moral et pompent notre énergie, nous nous dévalorisons et passons souvent à côté de notre vie, de nous-mêmes.

S'affirmer n'est possible que si nous sommes persuadés d'avoir une valeur et de l'importance. Cela ne veut pas dire que nous sommes prétentieux et pensons que nous sommes mieux ou plus importants que les autres. Cela signifie que nous nous respectons assez pour ne pas accepter tout et n'importe quoi. Cela implique que nous reconnaissons nos goûts, nos talents, nos sentiments et nos besoins. S'affirmer résulte de la conviction que nous avons tous des droits humains : exprimer nos émotions et nos besoins, faire des erreurs, dire non, être respectés et être responsables de nos choix.

Privilégier vos propres besoins et désirs ne fait pas de vous un monstre d'égoïsme. Ce n'est pas parce que vous en faites plus que l'on va vous aimer plus ou reconnaître encore plus votre valeur. Au contraire, cette abnégation produit souvent l'effet inverse ; on vous respecte moins.

JE PASSE À L'ACTION

Il nous arrive de lire certains ouvrages ou d'écouter des émissions très inspirants. Nous avons alors la sensation d'avoir « compris » quelque chose. Cependant, lorsque nous retournons quelques semaines après sur ce que nous avons lu, entendu, vécu, nous devons bien constater que nous n'en avons rien fait. L'envie de départ était bien là ; la mise en pratique, plus difficile à envisager. Si nos aspirations restent uniquement dans notre tête, ce ne sont que des vœux pieux qui nous découragent et nous ramènent à la case départ. Rien ne vaut la pratique pour transformer nos habitudes et nos comportements.

CE QUI EST VRAIMENT BON POUR MOI

S'affirmer, c'est être sûr de pouvoir oser dire ce qui est bon pour soi-même. Mais pour le savoir, encore faut-il être capable d'écouter ses besoins profonds et de les décrypter.

Il est souvent difficile de se « brancher » sur ce que l'on ressent profondément. Mon envie est-elle bien la mienne ? Mon désir n'est-il pas celui de mes parents, mon conjoint, mes enfants ? La tête parle, analyse, découpe, décortique et rationnalise à outrance et récupère ce qu'elle a entendu. Surtout si l'on vous inonde de conseils avisés qui sont « bons pour vous ». Mais à y regarder de plus près, vous seuls êtes à même de savoir ce qui est réellement bon pour vous en vous branchant sur ce qui se passe au plus profond de vous (ce que certains appellent l'instinct et que nous qualifions plutôt de ressenti interne).

Avez-vous déjà fait l'expérience d'une situation où tout allait pour le mieux et où tout à coup, une sensation de malaise s'est installée en vous ? Une boule à l'estomac ? Un sentiment d'étouffement ou une envie de vous enfuir ? Notre éducation nous a appris à ne pas prêter attention à ces petits signes et à les traduire en diagnostics express : « Tiens, bizarre, j'ai mal à l'estomac, j'ai dû manger quelque chose qui ne m'a pas réussi. » Mais à bien y regarder, il se peut que le poids sur l'estomac corresponde au moment où votre collègue a fait une remarque subtilement perfide devant votre boss. Votre tête n'est pas toujours capable de déceler cela en première intention mais votre corps sait très bien capter ces signaux. Votre intuition, votre instinct fonctionnent mieux que vous ne l'imaginez si vous acceptez d'en percevoir les signes et de ne pas en arriver à une interprétation rationnelle trop rapidement.

Attention cependant au tout psy ! Le « tu as mal au dos ? C'est que tu en as plein le dos bien sûr » peut parfois nous taper sur les nerfs. Oui, sans doute, mais j'ai peut-être aussi une hernie discale qui me fait souffrir terriblement, non ?

Entre le tout rationnel et le tout psy, il y a comme toujours un équilibre à respecter. Seules vos expériences peuvent vous servir de repères. Effectivement, si vous avez la migraine à chaque repas chez votre belle-mère, il faut peut-être creuser.

Se libérer de la culpabilité

La culpabilité est à l'âme ce que la douleur est au corps. Si la douleur en elle-même n'est pas une bonne chose, elle a cependant une fonction : elle nous alerte sur un problème qui demande à être traité.

À l'instar de la douleur, la culpabilité revêt deux faces. D'un côté, elle peut être saine et contribuer à nous rendre meilleurs dans le cas où nous avons bafoué nos valeurs et nos convictions. Par exemple, si j'humilie un ami publiquement, je vais lui infliger une sacrée blessure. Si je me rends compte de mon acte, je vais pouvoir me sentir coupable de lui avoir fait du mal. Ma culpabilité va alors me pousser à aller lui demander pardon afin de réparer la blessure. Cet épisode va me permettre de m'améliorer humainement et de veiller à ne pas blesser à nouveau.

D'un autre côté, nous remarquons que, souvent, nous nous sentons coupables de tout et de rien, coupables pour des fautes que nous n'avons pas commises, pour des « crimes » fantômes. Et cette culpabilité que nous éprouvons là est le plus souvent toxique.

Jacques Lacan disait que ce qui nous conduit à la plus terrible des culpabilités, c'est de renoncer à son désir, c'est-à-dire à nos aspirations les plus fondamentales...

Souvent nous n'osons pas nous affirmer parce que nous avons peur de perdre l'amour des autres. Alors nous

nous conformons à des attentes qui ne sont pas les nôtres. Nous acceptons des situations qui ne sont pas bonnes pour nous. Nous acceptons l'inacceptable pour éviter de nous sentir coupables d'être nous-mêmes et de vivre notre vie. C'est ainsi que pour fuir ce sentiment de culpabilité, nous épousons le désir des autres et renonçons à notre propre désir.

Josée, 37, ans, mariée, deux enfants

Josée vient consulter pour une dépression larvée. Elle a rencontré son mari à la faculté de médecine. Brillant, de bonne famille et de la même confession religieuse qu'elle; il a tout de suite plu à ses parents: le gendre idéal. L'amourette s'est très rapidement transformée en un engagement très sérieux et très investi par les parents. Au bout de quelques mois, la date du mariage a été fixée. Passée l'euphorie de la demande et des préparatifs, Josée a retrouvé ses doutes du début de l'idylle: « Et s'il n'était pas l'homme de ma vie? Je l'aime beaucoup mais pour une vie entière…? » Malgré tout, puisque sur le papier tout semblait tellement parfait et ses parents si heureux, elle s'est résignée.

En consultation, quand nous lui demandons les raisons, elle répond: « Mais je ne pouvais faire autrement. Je ne pouvais pas infliger cette peine à mes parents. Sans compter l'humiliation. Tout était déjà prêt, vous imaginez, cent cinquante invités? Mon père était malade et je voulais qu'il voie au moins un de ses enfants marié. Et puis, déjà que mon frère les avait déçus. »

 Julien, le frère de Josée, a eu deux grandes histoires d'amour. Mais il a toujours rompu au moment de s'engager sérieusement. Pourquoi?

Parce qu'à chaque fois, sa copine ne convenait pas à ses parents pour des raisons différentes: religieuses, sociales, politiques, physiques... Julien voulait que sa future femme « plaise à tout le monde ». Ses parents ont exercé une pression sur lui pour qu'il rompe. Chantage affectif, culpabilité, menace de reniement. Josée dit qu'elle n'aurait pas pu supporter autant de culpabilité et de pression. Elle a préféré faire un choix de raison.

Quand nous lui demandons si elle envisage de quitter son mari, elle reprend les mêmes mots: « Vous n'y pensez pas, le divorce dans notre famille, c'est impossible. Et je ne peux pas faire ça à mes enfants. Ça les traumatiserait à vie. Et surtout, je ne pourrais pas leur infliger cette peine. Ils aiment tellement mon mari. Déjà que mon frère les a déçus... »

De quoi Josée pourrait-elle être réellement coupable si elle avait osé affirmer son désir? Quelle aurait été sa faute?

Peut-on être coupable de ne pas satisfaire les désirs que les autres projettent sur nous?

Allons faire un tour du côté de la définition de la culpabilité.

La culpabilité est l'état de quelqu'un qui est coupable d'une infraction ou d'une faute (par exemple, établir la culpabilité d'un accusé). Mais la culpabilité, c'est aussi le sentiment de faute ressenti par un sujet, que celle-ci soit réelle ou imaginaire. Elle peut même être ressentie par anticipation (si j'oublie de mettre une collation dans la boîte à lunch de mes enfants, alors cela veut dire que je suis une mauvaise mère, coupable de ne pas remplir l'estomac de mes enfants et mon rôle de maman attentionnée).

Petit exercice schizophrénique : coupable/pas coupable

Imaginez que vous êtes procureur mais que vous êtes aussi votre jumeau sur le banc des accusés. Vous devez établir la culpabilité de votre jumeau pour une série de « méfaits » en acte, en pensée, en parole…

Nous allons vous proposer plusieurs affirmations. À vous de décider si dans les situations décrites la culpabilité de votre jumeau est avérée.

1. Je n'ai pas tenu la porte battante à la vieille dame alors que je l'avais vue.   ❏ Coupable – ❏ Pas coupable

2. Mes parents ont divorcé quand j'avais cinq ans.
❏ Coupable – ❏ Pas coupable

3. J'ai fait garder mes enfants pour aller au restaurant avec mes amies.   ❏ Coupable – ❏ Pas coupable

4. J'ai volé dix dollars dans la tirelire de mon fils sans lui demander.   ❏ Coupable – ❏ Pas coupable

5. J'ai choisi d'être éducatrice alors que mon père voulait que je sois comptable.
❏ Coupable – ❏ Pas coupable

6. Je n'ai pas répondu au 345e appel de la journée de ma mère.   ❏ Coupable – ❏ Pas coupable

7. J'ai mangé tous les whippets de mes enfants.
❏ Coupable – ❏ Pas coupable

8. J'ai trompé mon conjoint avec un inconnu lors d'un séminaire (et non pas avec un séminariste inconnu).
❏ Coupable – ❏ Pas coupable

9. Je me suis fait arrêter avec le cellulaire à l'oreille
alors que je conduisais. ❏ Coupable – ❏ Pas coupable

10. Je gagne bien ma vie alors que ma sœur galère.
❏ Coupable – ❏ Pas coupable

Précipitez-vous sans plus attendre p. 235 pour découvrir les résultats de ce petit exercice schizophrénique !

Nous vous invitons à présent à remplir le tableau ci-dessous. Prenez toutes les situations pour lesquelles vous vous sentez coupables et répartissez-les dans les colonnes adéquates « Coupable/Pas coupable ».

Pour les situations de la colonne « Coupable », imaginez la solution, souvent d'une simplicité extrême, pour réparer votre erreur et mettez-la en œuvre.

Pour les situations de la colonne « Pas coupable », nous vous invitons à écrire une lettre de licenciement à votre culpabilité (prenez modèle sur la lettre ci-dessous).

Coupable		Pas coupable
Situations	Solutions	Situations

Chère culpabilité,

Il y a trois ans, j'ai choisi de mettre fin à ma « carrière internationale » d'analyste financier dans une banque pour devenir travailleur social.

Ma conjointe et mon entourage n'ont pas compris mon choix. *Ils n'ont pas accepté, et n'acceptent pas pour le moment le changement de vie que ma décision a engendré. Nous ne partons plus en vacances dans des clubs quatre étoiles et les enfants n'ont plus qu'une seule activité extrascolaire, faute de budget.*

Je culpabilise *et les remarques de mon entourage (« t'es égoïste », « tu aurais pu penser à ta famille avant de faire un choix aussi radical », « à cause de toi... »)* entretiennent ma culpabilité.

Cependant, chère culpabilité, je te signifie aujourd'hui ton licenciement sans indemnités. En effet, je suis responsable de *ce choix qui donne du sens à ma vie. Je me sens utile et à ma place dans cette activité. Je passe plus de temps avec ma famille qu'avant.* Je me sens moins stressé *et plus présent. J'ai l'impression d'être un meilleur père et un meilleur époux en étant devenu une meilleure personne.*

Vous avez compris le principe :
- vous énoncez la situation de départ ;
- vous exposez les conséquences ;
- vous exprimez votre ressenti coupable ;
- vous prenez vos responsabilités ;
- vous tirez les bénéfices pour vous et pour les autres.

La culpabilité est inhérente à tout choix. Il est souvent difficile de s'autoriser à faire, être, penser et dire ce qui nous semble être bon pour nous sans blesser les autres.

Cependant, il est essentiel de pouvoir faire la différence entre une culpabilité stérile et une responsabilité constructive. Dans le premier cas, ma culpabilité me ronge. Je vais m'abîmer et risque d'abîmer les autres. Dans le second cas, je prends la responsabilité de mes choix et j'agis en conséquence. Je me libère du poids de la pression et j'en libère aussi les autres.

Parfois, les choses ne sont pas si simples. Il arrive que les autres (souvent les personnes les plus proches de moi) n'acceptent pas mes choix et ne respectent pas mes décisions. Alors le travail n'est pas fini. Je vais devoir me lancer dans une entreprise de tri sélectif et recycler les déchets toxiques.

Se libérer des relations toxiques

Que se passe-t-il quand les personnes censées nous aimer le plus font aussi notre malheur ? Que faire lorsque nous ressentons une pression permanente du simple fait d'être en relation avec certaines personnes ? Devons-nous accepter de souffrir au nom de l'amour ? L'amour justifie-t-il d'accepter le chantage affectif ? Que penser d'une relation professionnelle, ou non, basée sur la menace larvée, ce genre de relation qui vient réveiller nos peurs profondes ? Quelle que soit la relation, devons-nous accepter d'être vidés de notre énergie pour la maintenir coûte que coûte ?

Nous entretenons certaines relations toxiques car nous vivons dans la peur, ou plutôt les peurs : peur d'être rejetés, peur de l'échec, peur de blesser, et ainsi de suite. Ces relations se maintiennent également par habitude. Dur dur de remettre en question une relation avec un de nos parents, avec notre conjoint ou avec un ami de trente ans. Très difficile de remettre en cause une relation de travail quand les enjeux nous semblent si importants.

Et pourtant, rester dans de telles relations nous pompe toute notre énergie et nous vide progressivement de notre joie de vivre. Toute la pression engendrée consume notre âme peu à peu.

Petit exercice pour faire son bilan de toxicité relationnelle

Dans cet exercice, nous vous invitons à déterminer si vous vivez une relation toxique. Notez le nombre de réponses dans lesquelles vous vous retrouvez.

1. Est-ce que la personne vous critique et vous dévalorise en permanence ?

2. Est-ce que la personne vous agresse régulièrement physiquement et verbalement ?

3. Est-ce que cette personne est alcoolique ou droguée et vous met dans des situations où vous vous sentez mal à l'aise, où vous avez peur ou honte ?

4. Est-ce que cette personne est très déprimée et vous met systématiquement à contribution ? Vous vous sentez responsable ? Vous vous sentez obligé de prendre soin d'elle ?

5. Avez-vous peur que cette personne vous rejette si vous ne faites pas comme elle veut ? Si vous exprimez vos sentiments ?

6. Trouvez-vous que votre relation est abusive et destructrice ?

7. Avez-vous peur de blesser cette personne si vous affirmez votre choix de vie ?

8. Avez-vous peur que si cette personne vous connaissait vraiment, elle arrêterait de vous aimer ?

9. Avez-vous honte de réussir vis-à-vis de cette personne ?

10. Êtes-vous perfectionniste à outrance ?

11. Est-il difficile pour vous de vous détendre ou de passer un bon moment avec cette personne ?

12. Avez-vous des réactions émotionnelles ou physiques intenses après avoir passé ou anticipé de passer du temps avec cette personne?

13. Avez-vous peur d'être en désaccord avec cette personne?

14. Cette personne utilise-t-elle le chantage affectif et la culpabilité pour vous manipuler?

15. Cette personne utilise-t-elle l'argent pour vous manipuler? Vous sentez-vous responsable des états d'âme de cette personne? Si la personne ne va pas bien, avez-vous l'impression que c'est de votre faute?

16. Avez-vous l'impression que, quoi que vous fassiez, ce n'est jamais assez bien pour cette personne?

17. Entretenez-vous l'espoir qu'un jour cette personne change?

Si vous avez répondu oui à au moins un tiers des questions, vous êtes très probablement prisonnier d'une relation toxique. Sinon, vous pouvez passer au paragraphe suivant.

Lorsque nous accompagnons nos clients, nous leur demandons toujours pourquoi ils acceptent sans broncher des situations qui ne leur conviennent pas, voire présentent un taux de toxicité qui ferait sauter les meilleurs compteurs Geiger. Nous leur faisons remarquer que s'ils les acceptent alors que cela ne leur fait visiblement pas du bien, c'est qu'ils ont de bonnes raisons.

Nous partons du principe que les gens sont intelligents et que la proportion de masochistes avérés est statistiquement minoritaire. Si nous acceptons d'avoir mal, c'est que nous avons donc des raisons légitimes, très souvent en lien avec les peurs dont nous avons parlé plus haut: d'être rejetés, etc. Mais si nous acceptons d'avoir mal, c'est que nous avons surtout, aussi surprenant que cela puisse paraître, des bénéfices à maintenir une situation qui nous met sous pression.

Émilie et Paul, en couple, trois enfants

C'est le cas d'Émilie et Paul, en couple et parents de trois enfants. La mère d'Émilie est une mère et une belle-mère que nous pouvons qualifier d'intrusive. Elle se mêle de tout, débarque chez eux sans prévenir à n'importe quel moment, et critique tout : de leur manière d'éduquer les enfants à leur choix de vacances en passant par la décoration de la maison. Elle ne se prive pas de petites remarques désagréables sur son gendre quand il n'est pas là. Mais elle le met sur un piédestal en public et lui donne raison vis-à-vis de sa fille dans les repas de famille.

Cela cause une grande tension dans le couple qui se dispute beaucoup à son propos. Paul reproche à Émilie de ne pas tenir tête à sa mère. Émilie se sent complètement démunie car elle se sent prise au piège d'un petit jeu pervers dont elle accuse Paul d'être partie prenante.

Sur la question des enfants, Émilie nous confie qu'elle ne se voit pas dire quoi que ce soit à sa maman puisque c'est elle qui garde les enfants après l'école : « On est bien contents qu'elle fasse la nounou toutes les fins d'après-midi. Ça nous permet d'économiser une gardienne. » Tout est dit ! Le bénéfice est là.

Si Émilie et Paul veulent se détacher de la pression de l'intrusion « belle-mérienne », ils vont devoir fixer les limites et/ou prendre la responsabilité de leur bien-être. Nous les invitons à affirmer leur choix de vie (éducation, maison, vacances) face à belle-maman en la remerciant de l'aide qu'elle leur apporte mais en restant fermes sur leurs besoins : belle-maman n'a pas le droit de venir tout le temps à l'improviste chez eux, elle doit respecter leurs principes éducatifs et s'abstenir de faire des remarques désobligeantes.

Autre solution : plutôt que de rester dans cette situation où ils ne font rien d'autre que de blâmer en silence belle-maman, Émilie et Paul peuvent décider de prendre une gardienne qui assurera les sorties d'école, d'autant qu'ils peuvent se le permettre financièrement.

Vous avez compris le principe ? Pour chaque situation relevée, repérez les bénéfices, même très cachés, que vous en tirez et notez de quelle manière vous pouvez prendre la responsabilité de votre bien-être. Entraînez-vous avec une personne de confiance avant d'aller dire la vérité en face aux personnes concernées !

PETIT LEXIQUE pour décrypter les phrases potentiellement toxiques

- « On t'aime tellement... »
- « Tu veux faire mourir ta mère ? »
- « Je sais ce qui est bon pour toi ! »
- « J'te l'avais bien dit ! »
- « Moi, je serais toi... »
- « Vaudrait mieux que tu viennes à la réunion sinon... enfin j'dis ça... »

Attention aux personnes qui nous aiment tellement qu'elles nous empêchent d'être nous-mêmes !

J'AFFIRME MON DÉSIR

Nous constatons que nous sommes nombreux à dépenser beaucoup d'énergie à nous conformer à l'image que les autres ont de nous, ainsi qu'à leurs attentes. Certainement parce que nous pensons que les autres ne peuvent pas nous comprendre et nous accepter tels que nous sommes.

Marc, d'ingénieur automobile à commis de cuisine

Marc a 28 ans. Il s'éclate comme commis de cuisine dans un grand restaurant parisien après avoir obtenu un DEP. Il est heureux, va au boulot en sifflant et sait que ça n'est que le début d'un parcours comme il le rêve dans la restauration.

Mais Marc a d'autres diplômes. Avant de faire ce qui lui plaît vraiment, il a réussi brillamment ses études scientifiques avant d'intégrer une école d'ingénieurs dont il est sorti master en poche avant de débuter une superbe carrière chez un constructeur automobile. La voie royale !

Enfin, celle que ses parents souhaitaient pour lui. Et celle qu'il avait accepté de prendre pour leur faire plaisir. Mais voilà, une fois le parcours si parfaitement réussi, Marc a vite senti qu'il n'était pas heureux. Pas heureux dans une job qui ne lui permettait pas de bouger suffisamment, de créer comme il en avait envie, et il est tombé malade. Après avoir essayé de retourner au travail, il n'a pu que prendre conscience que ses choix n'étaient pas vraiment les siens et que son désir profond, qu'il nourrissait comme un hobby depuis l'enfance, était de devenir cuisinier. Et c'est finalement ce qu'il a choisi de faire, au-delà des « Mais qu'est-ce qui te prend ? Tu fais une crise ? Ça va te passer ! ». Non, non et non, pas de crise mais une passion chevillée au corps qu'il a choisi d'assouvir.

Si vous sentez que cela fait des années que vous vous mettez de la pression pour satisfaire les attentes des autres, si vous avez dépensé beaucoup d'énergie et de temps pour vous conformer, il est peut-être temps d'ouvrir vos yeux et votre cœur et de trouver le courage de vivre à votre manière. Il est temps de vous débarrasser de ce poids et d'affirmer haut et fort qui vous êtes vraiment et ce que vous attendez de votre vie.

Recette pour un bon coming out

L'expression « coming out » est souvent réservée aux personnes révélant leur homosexualité. Or, le coming out est le fait pour une personne de révéler au monde sa vraie nature ou personnalité. Plus largement, c'est le fait d'affirmer qui nous sommes, ce que nous ressentons et ce à quoi nous aspirons. La difficulté, dans le coming out, réside dans la façon dont nous allons délivrer le message. Notre message doit être honnête, positif, engagé, inspirant et convaincant à la fois pour les autres et pour soi-même. Évitez donc de monter sur la table du salon en plein repas de Noël pour crier que vous êtes tannés de manger tous les ans la même dinde pas cuite et de vous farcir toutes les conversations débiles de votre belle-famille.

Petit exercice pour préparer un coming out réussi

Pour commencer, nous vous invitons à lister toutes les situations où :

> Vous n'avez pas exprimé vos vrais sentiments.

> Vous avez fait des compromis à contrecœur.

> Vous avez accepté l'inacceptable pour vous a posteriori.

> Votre corps vous a donné un message vous mettant en garde contre une situation qui n'était pas bonne pour vous.

Une fois que vous avez trouvé des situations entre amis, entre collègues ou en famille, imaginez ces mêmes situations en vous affirmant, version « pétage de coche ». C'est drôle et cela permet de les mettre en perspective. Et surtout, vous savez que vous ne le ferez pas en réalité, donc aucun risque à courir.

Notez ensuite ce que vous pourriez dire la prochaine fois pour affirmer votre désir et faire respecter vos besoins, en version audible par tous.

Entraînez-vous à exprimer vos choix, vos opinions et vos sentiments auprès de personnes en qui vous avez confiance. Il est très important que ces personnes soient neutres par rapport à la situation litigieuse. Vous choisirez de vous entraîner avec des personnes qui peuvent vous aider à améliorer votre argumentation. Ensuite, vous vous entraînerez à le dire à des inconnus (par exemple : je suis ingénieur informatique mais mon rêve est de devenir cuisinier, blablabla…).

Dès que vous vous sentirez assez confiants, vous pourrez alors faire votre coming out auprès de vos proches et de toutes les personnes concernées.

Oser dire non

Les magazines de développement personnel publient régulièrement des articles sur le thème « Oser dire non » à son patron, à son conjoint, à son chien, aux livres en trop…, en fonction des saisons. Il faut croire que le sujet intrigue et fait vendre, puisqu'il fait partie des classiques de la presse.

Phrase à écrire et à coller sur votre miroir de salle de bains

Je suis convaincu, donc je suis convaincant.

Nous avons besoin d'apprendre à dire non, mais l'objectif n'est pas de dire non pour dire non. Il n'est pas question de nous transformer en adolescents rebelles qui s'opposent pour s'opposer. À l'adolescence, dire non fait partie de la construction identitaire normale.

Oser dire non, c'est bien plutôt apprendre à poser des limites à un autre « envahissant » et lui proposer une solution alternative. C'est poser un vrai non plutôt qu'un faux oui qui va nous prendre notre temps, notre espace et que nous regretterons amèrement, juste parce que nous avons voulu être gentils, aimés et ne pas nous sentir coupables d'avoir refusé une demande ou un service.

Fixer mes limites

Il nous apparaît évident de fixer des limites à un enfant pour le protéger. Lorsque nous voyons des parents un peu trop « mous » selon nous, la petite voix du jugement se met automatiquement en route dans notre tête : « Pourquoi le laissent-ils faire ? », « Je serais eux, je ne me laisserais pas bouffer par un gremlin de 4 ans, non mais des fois ! » et blablabli et blablabla. Alors, puisque notre jugement sait, à peu près, nous dire à quel moment une limite est franchie, pourquoi n'arrivons-nous pas à nous appliquer ce principe à nous-mêmes lorsque nous voyons les autres traverser allègrement la frontière de nos limites ?

Pourquoi acceptons-nous d'être tout le temps envahis ? Envahis dans notre tête, dans notre espace, dans le temps, envahis jusque sur notre territoire parfois. Nous croisons souvent des clients épuisés qui nous avouent que leurs enfants rappliquent toutes les nuits dans le lit conjugal. Au secours ! Ou que les enfants rentrent dans leur chambre sans frapper. Si je veux préserver mon territoire, si je veux affirmer que j'ai le droit d'exister, seul, et que je ne suis pas disponible 24 heures sur 24, je vais devoir apprendre à fixer des limites et respecter celles des autres, y compris les limites de mes enfants. Si je souhaite, par exemple, que mes enfants ne rentrent pas sans frapper dans ma chambre lorsque la porte est fermée, il vaudra mieux que je m'habitue à frapper à leur porte également, et que j'arrête de dire que « ça n'est pas pareil parce que, moi, je suis leur mère/père et c'est moi le propriétaire des lieux ».

Si l'on sort de l'espace privé pour observer la question du territoire au travail, nous observons également que les limites de ce territoire ont été largement abolies avec l'arrivée de l'aire ouverte. L'aire ouverte, fleuron de l'environnement de travail des années deux mille, bureau immense sans cloisons très convivial et qui permet de travailler tous ensemble, tous ensemble, yeah, yeah ! Ça c'est l'idée idyllique du départ.

Au final, l'aire ouverte est un espace où nous sommes constamment sous le regard des autres. Outre le fait qu'il rend difficile la possibilité de s'isoler pour réfléchir sans être interrompu régulièrement, l'aire ouverte ajoute à la pression du travail. Les autres me voient, me jugent, me jaugent et il m'est impossible de mettre des paravents autour de mon petit espace car, même s'ils pouvaient couper la vue, je serais toujours dans le bruit ambiant. Bien difficile alors de refuser la demande d'un collègue sans passer pour le « pas cool » qui ne joue pas le jeu.

À la maison, les limites d'espace et de temps peuvent être aussi bien faciles à anéantir. Il suffit d'imaginer la vie de famille avec un, deux ou quelques enfants qui ne veulent absolument pas laisser à leurs parents la possibilité de rester en tête-à-tête. On le sait depuis que Sigmund nous l'a dit. Le petit d'homme est un pervers polymorphe dont on ne se méfie pas assez, surtout à l'heure du coucher. Heure du coucher qui s'éternise avec des histoires à rallonge : « Non, encore une histoire, pas une seule sinon je pourrai pas dormir… » Puis, lorsque la lumière s'éteint enfin et que les parents s'installent confortablement pour un moment à eux, des petits bruits de pas font leur retour pour un dernier bisou, un verre d'eau, un pipi, etc. Et la belle patience dont les parents, pleins d'abnégation, ont fait preuve pour lire en souriant les quinze histoires du soir s'évapore instantanément pour laisser place à une exaspération extrême. Trop, c'est trop ! Il faut défendre le territoire et vite, avant que le reste des troupes de Géronimo n'envahisse le salon.

JE M'AFFIRME SEREINEMENT

Lorsque nous parlons d'affirmation de soi sereine, nous ne pouvons pas nous empêcher de penser au pétage de coche magistral de Babou, personnage incarné par Valérie Benguigui dans le film *Le Prénom* de Matthieu Delaporte et Alexandre de La Patellière.

Babou est prof de français au collège. Elle est mariée à un professeur d'université de lettres classiques et mère de deux enfants. Elle est l'aînée d'une famille dans laquelle le petit frère a toujours été mis sur un piédestal. Elle cumule son job, l'entretien et l'éducation des enfants (son mari ne la soutenant pas beaucoup dans ce domaine). Elle a dû abandonner sa thèse de lettres pour favoriser la carrière de son mari. Babou a toujours été la « gentille ». Elle se plie en quatre pour tout le monde et n'exprime jamais ses frustrations. Jusqu'à ce dîner familial où une dispute éclate. Babou tente tant bien que mal d'accomplir son rôle de maîtresse de maison et ravale sa colère et sa déception. La tension monte et elle finit par exploser. Dans une tirade, qui vire au tragique, elle affirme enfin tout ce qu'elle a enfoui pendant de longues années. Tout le monde en prend pour son grade : son mari, son frère, sa belle-sœur et son ami d'enfance. On ne peut pas dire qu'elle s'affirme de manière sereine !

S'affirmer de manière sereine, c'est déjà être au clair avec ce que l'on veut dire, comme nous venons de le voir concernant le coming out. Mais c'est aussi savoir l'exprimer avec tranquillité et sans armes à feu. Pour cela, il est nécessaire de savoir formuler son ressenti.

Mettre des mots sur ses émotions

Malheureusement, nous observons régulièrement à quel point nous sommes pauvres en vocabulaire émotionnel, dès lors qu'il s'agit de ce que nous ressentons. Et l'âge ne fait rien à l'affaire. Exprimer ses émotions ne fait pas partie des matières enseignées à l'école et n'est pas fourni dans le mode d'emploi de votre nouveau-né remis à la maternité (on nous dit dans l'oreillette qu'il n'y en aurait pas!).

Avant de trouver les mots, il nous semble utile de rappeler ce qu'est une émotion. Le terme « émotion » vient de « mouvoir, mettre en mouvement ». C'est une réaction psychologique et physique à une situation et à l'interprétation de la réalité. En cela, une émotion est différente d'une sensation, qui elle est la conséquence physique directe (relation à la température, à la texture...) des perceptions sensorielles. Quant à la différence entre émotion et sentiment, elle réside dans le fait que le sentiment ne présente pas une manifestation réactionnelle. Néanmoins, une accumulation de sentiments peut générer une réaction émotionnelle.

On distingue les émotions de base des émotions secondaires. Les émotions de base, théorisées par Paul Ekman[6], sont les suivantes:

---

6. Paul Ekman est un éminent psychologue américain du XXe siècle, pionnier dans l'étude des émotions dans leurs relations aux expressions faciales.

- la joie ;
- la tristesse ;
- le dégoût ;
- la peur ;
- la colère ;
- la surprise.

Les émotions secondaires sont, elles, un mélange des émotions de base qui forment des émotions mixtes. La honte est, par exemple, un mélange de peur et de colère bloquées ou retournées contre soi.

Nous avons classé les émotions en deux grandes catégories : les émotions agréables et les émotions désagréables. Le tableau ci-après peut vous aider à trouver l'émotion qui décrit le plus fidèlement ce que vous ressentez.

Émotions agréables		Émotions désagréables	
Ému	Calme	Apeuré	Épuisé
Confiant	Comblé	Anxieux	Découragé
Attendri	Confiant	Bouleversé	Impuissant
Satisfait	Détendu	Choqué	Vidé
Excité	Décontracté	Effrayé	Confus
Enchanté	En sécurité	Tracassé	Inquiet
Enjoué	Content	Tendu	Mal à l'aise
Curieux	Ravi	Nerveux	Perdu
Inspiré	Optimiste	Fatigué	Surpris
Intéressé	Satisfait	Claqué	Dérouté
Passionné	Joyeux	Démuni	
Fasciné	Reconnaissant		
Énergique	Fier		
Serein	Soulagé		
Bienheureux			

Pour réussir à s'affirmer sereinement, il est indispensable de respirer, accueillir, apprivoiser et mettre des mots – mettre des MOTS! – sur l'émotion. Le tableau ci-dessus doit vous permettre d'enrichir votre vocabulaire émotionnel et d'y avoir recours pour vous et/ou vos proches. Quand vous trouvez les mots justes, quand vous nommez l'émotion juste, il y a automatiquement quelque chose qui lâche.

C'est l'exemple de cette petite fille qui nous a raconté que c'était dur avec ses copines et à qui nous avons dit: «Ben dis donc, tu as dû être drôlement déçue, hein!» et qui en réponse a soupiré – un gros soupir! – et répondu: «Un peu!» «Ça ce n'est pas un peu, non! C'est beaucoup!», le mot qui va avec ce gros soupir, c'est beaucoup. Ou ce petit garçon à qui nous avons dit: «Tu es soulagé alors?» et là, brrr, toutes les larmes sont sorties!

Ce qui est valable pour les enfants est également valable pour les adultes.

Quand on touche pile l'émotion «tristesse» par exemple, la décharge émotionnelle arrive d'un coup et cela se transforme en pleurs et après, tout se calme. C'est ça qui est intéressant. Si ce n'est pas la bonne émotion et que nous disons: «Oh ben dis donc, tu dois être déçu!», un enfant répondra: «Je ne suis pas déçu! Je suis en colère!» Pour nous, c'est la même chose en tant qu'adultes.

À l'instar des enfants, les adultes sont généralement un peu pauvres en vocabulaire émotionnel. Avez-vous remarqué que l'expression que les adultes emploient le plus souvent pour décrire un éventail d'émotions est: «Je suis fatigué, épuisé!»? Faut-il comprendre «fatigué énervé», «fatigué triste», «fatigué fatigué», «fatigué inquiet»?

L'on pourrait croire que tout s'arrange avec l'âge et qu'en grandissant nous devenons experts dans le langage des émotions. Or nous constatons tous les jours que les adultes d'aujourd'hui sont les enfants d'hier et que les questions émotionnelles restent sensibles. Dans l'exemple précédent, changez « petite fille » par « mon collègue de bureau » et vous verrez que cela fonctionne tout aussi bien.

Exprimer son besoin sans blâmer l'autre

« Ma grand-mère me disait à tous les mariages : "Alors ? T'es la prochaine ?" Elle a arrêté de me poser la question quand je lui ai posé la même aux enterrements. »

Petit exercice pour faire le point une bonne fois pour toutes

Qui blâmez-vous pour la pression que vous ressentez sans jamais oser le dire, parce que toute vérité n'est pas bonne à dire ? Et pourquoi ?

Vos parents ?

> Votre conjoint ?

> Vos enfants ?

> Votre patron, vos collègues ?

> Vos beaux-parents ?

> Vos amis ?

> La société ?

Pour chaque situation, nous vous invitons à mettre votre blâme de côté et à enfin prendre la responsabilité de votre bien-être.

Veillez toujours à exprimer la vérité que vous voulez dire de la manière la plus objective qui soit (les faits), la plus positive et la moins blessante. Pensez à bien exprimer votre ressenti puis votre besoin.

Par exemple, votre conjoint vous met une grosse pression pour faire des câlins. C'est vrai que depuis quelque temps, vous n'avez plus trop envie. La faute à qui ? Les enfants, la fatigue, des problèmes au travail… Rien que de voir son petit manège, au moment d'aller au lit, vous stresse. Vous savez qu'il est en attente et cela en rajoute une couche. Il se met à faire la tête de plus en plus souvent et vous menace parfois, en rigolant (mais quand même), d'aller voir ailleurs. Pression, pression, pression ! Vous commencez à lui en vouloir d'être aussi demandant et aussi peu compréhensif. Mais vous ne dites toujours rien. Enfin, ce n'est pas tout à fait vrai. Vous ne dites rien des vraies raisons. Ces raisons, quelles sont-elles ? La fatigue ne peut pas tout expliquer, nous le savons très bien. En revanche, la rancœur, le manque de fantaisie, de romantisme, l'inégalité dans la répartition des tâches ménagères sont autant de tue-l'amour. Et si vous creviez l'abcès sereinement avec votre conjoint ?

Oui mais comment ?

1. Je donne les faits : « Cela ne t'a pas échappé que je n'étais pas vraiment partante pour les câlins ces derniers temps ? Je vais t'expliquer pourquoi car je vois bien que cela t'affecte : le soir, je suis fatiguée car j'ai enchaîné ma journée de travail et les devoirs des enfants, le ménage, les bains, le repas et la vaisselle. »

2. J'exprime mon ressenti : « En plus d'être fatiguée, je ressens aussi de la colère car j'ai l'impression d'être la seule sur le pont pour les tâches ménagères. »

3. J'affirme mon besoin : « Je comprends que tu sois aussi fatigué de ta journée, mais j'ai besoin d'aide

pour les tâches du soir. Comme ça, je serai plus disponible pour passer du temps avec toi. »

Les faits : « Par ailleurs, j'ai remarqué que depuis quelque temps, nous partageons moins de choses, nous n'avons pas vraiment de soirées à nous pour écouter de la musique, parler et rire. »

Mon ressenti : « Cela me rend triste et ne me donne pas envie de faire l'amour. »

Mon besoin : « Or, j'aime le jeu de séduction et j'adore passer du temps avec toi. Pour moi, c'est le prélude aux câlins. J'ai besoin que l'on se parle, que l'on joue. Enfin, je voulais te dire que j'ai autant envie que toi que nous nous retrouvions. Mais, comme je vois que tu es toujours celui qui attend que je sois disposée, cela me met de la pression et me coupe dans mes élans. Qu'en penses-tu ? Crois-tu que nous pouvons repartir sur de nouvelles bases ? »

En présentant les choses de cette manière, vous parlez vrai sans qu'à aucun moment l'autre ne se sente blessé et incriminé. Vous avez de grandes chances d'emporter l'adhésion de votre interlocuteur qui sera enclin à trouver des solutions avec vous.

N.B. : Voici ce que nous disons à nos clients masculins qui se plaignent que leur femme n'a pas trop envie d'avoir des relations sexuelles : le manque de libido chez la femme n'est pas vraiment une question de migraine mais plutôt de lave-vaisselle. Si vous voulez faire l'amour plus souvent, mettez un peu plus la main à la pâte. Les fleurs, les cadeaux et les soupers en ville, c'est bien ; mais le ménage, la cuisine et les devoirs des enfants, c'est bien aussi. À bon entendeur…

Au début, cela n'est pas forcément facile d'exprimer son besoin. Voici une liste de besoins inspirée de la Communication non violente (cnv.org), dans laquelle vous pouvez piocher pour trouver le mot qui correspond le mieux à votre besoin insatisfait du moment.

Subsistance	Affection	Mental
Air	Appartenance	Apprentissage
Eau	Attention	Clarté
Aliments	Chaleur humaine	Compréhension
Abri	Confort	Conscience
Santé	Liens	Défi
Sécurité	Soins	Discernement
Repos	Tendresse	Information
Exercice physique	Toucher	Réflexion
Contact physique		Rigueur
Cohérence		Stimulation
Sexualité		
Se préserver		
Autonomie	Intégrité	Interdépendance
Choix	Authenticité	Acceptation
Espace	Confiance en soi	Amour
Individualité	Estime de soi	Appartenance
Liberté	Honnêteté	Attention
Rêve	Intention	Chaleur humaine
Solitude	Respect	Communauté
	Rêves	Compassion
	Sens	Compréhension
	Vision	Confiance
		.../...

Subsistance	Affection	Mental
Expression de soi	Célébration	Connexion
Compétence	Bonheur	Considération
Contribution	Gratitude	Coopération
Création	Humour	Écoute
Créativité	Jeu	Empathie
Évolution	Passion	Équité
Flexibilité	Plaisir	Feedback
Guérison	Reconnaissance	Honnêteté
Maîtrise	Stimulation	Inclusion
Sens	Vivacité	Intimité
		Liberté
		Mutualité
		Prévisibilité
		Proximité
		Réciprocité
		Respect
		Sécurité émotive
		Sens de sa propre valeur
		Sincérité
		Soutien
		Stabilité

 Coup de pouce : Un petit cours de théâtre ?

Le théâtre peut être considéré comme une thérapie. Il est d'ailleurs souvent utilisé comme moyen d'apprendre à s'affirmer. Il présente plusieurs bénéfices :

> une meilleure confiance en soi : grâce à une pratique régulière, les acteurs en herbe gagnent en assurance car ils osent s'exprimer sous le regard des autres en endossant un personnage qui n'est pas soi, mais qui permet de révéler sa personnalité ;

> une prise de parole plus fluide : les différents exercices (diction, mémoire, écoute) sont des outils précieux pour vous exprimer avec assurance ;

> l'apprentissage du lâcher-prise : en vous confrontant à vos craintes, vos émotions et vos limites, vous apprendrez progressivement à les apprivoiser, donc à ressentir moins de stress ;

> un ridicule qui ne tue pas : le jeu va vous libérer de vos complexes et vous permettre de vous réconcilier avec un corps avec lequel vous n'êtes pas toujours à l'aise.

Si avec tous ces bénéfices vous ne courez pas vous inscrire, il vous reste les cours de mime, mais pour l'expression orale c'est moins efficace.

Tout le monde a au moins une vérité profonde à dire à quelqu'un, un parent, un ami, un enfant, un conjoint, un collègue ou un patron. Ne pas nous affirmer nous maintient dans un système où nous subissons de la pression et restons esclaves de situations qui ne sont pas bonnes pour nous. L'affirmation de soi nous permet de nous libérer, nous donne de l'énergie et nous aide à gagner en confiance et en estime de soi.

S'affirmer n'est pas simple. Cela prend du temps, parfois même beaucoup de temps : des mois, des années avant d'arriver à identifier ses besoins et ses désirs, et à savoir comment les exprimer.

Le but n'est pas de s'affirmer à tout prix, quitte à blesser les autres. S'affirmer permet de construire des relations plus claires et plus libres dans le respect de chacun.

Mes petites soupapes du quotidien

* **Les mots sont des fenêtres** de Marshall Rosenberg (*introduction à la Communication non violente*), Éditions La Découverte (2004), *pour une affirmation sereine*

* **Parents toxiques** de Susan Forward (*comment échapper à leur emprise*), Marabout (2013), *pour se libérer des relations toxiques*

* **Les manipulateurs sont parmi nous** d'Isabelle Nazare-Aga (*qui sont-ils, comment s'en protéger ?*), Éditions de l'Homme (1999), *pour apprendre à les contre-manipuler (ça peut toujours servir)*

* **Le Prénom**, *un film d'Alexandre de La Patellière et de Matthieu Delaporte, pour rire, se détendre et comprendre l'effet cocotte-minute*

* **Monsieur Oui**, *un film de Peyton Reed avec Jim Carrey, pour apprendre à doser son affirmation de soi*

MES RÉUSSITES DANS LA PREMIÈRE ÉTAPE

✓ J'ai compris ce qu'est l'affirmation de soi.

✓ J'ai aussi compris qu'il était difficile de s'affirmer.

✓ Mais j'ai pris conscience maintenant que le manque d'affirmation me met la pression.

✓ J'ai envie de passer à l'action en allant vers ce qui est bon pour moi.

✓ Je me libère de la culpabilité (ça ne se fait pas en criant ciseau) et des relations toxiques.

✓ J'affirme mon désir (ou mes désirs) en faisant mon coming out.

✓ Je m'entends dire non (peut-être pour la première fois).

✓ Mais je le fais gentiment en fixant des limites.

✓ J'apprends à mettre des mots sur les émotions et à exprimer mes besoins sans blâmer l'autre.

Bravo !

ÉTAPE 2

ACCEPTER D'ÊTRE IMPARFAIT

(SANS FAIRE DUR)

« Être en vie est déjà un miracle.
Vous ne voudriez pas en plus être parfait ! »

AUDABELLE PAILLAK

QUI N'A JAMAIS… eu envie de mettre une claque à Nellie Oleson ou de lui couper ses belles anglaises ? Nellie Oleson ? Ben voyons, Miss Parfaite de *La Petite Maison dans la prairie* !

Ceux qui n'étaient pas nés en septembre 1974 pour le premier épisode de la série, et trop jeunes au dernier épisode dix ans après, demanderont à leurs aînés de quoi il s'agit et pourront aller voir quelques épisodes en streaming. Attention, ça a vieilli !

Donc Nellie Oleson, c'est la représentation de la Miss Parfaite détestable qui a, dans la même série, son équivalent mais version « j'aime tout le monde », à savoir la gentille Mary Ingalls.

Notre penchant naturel nous porte à vouloir ressembler à Mary Ingalls, si parfaite et douce et aimable et… plate, oui aussi, soit-elle.

Reconnaissons-le. Qui n'a jamais bavé devant les « *beautiful people* » dont on nous étale la vie lisse et brillante (comme leurs cheveux) dans les magazines ? Ces actrices qui remettent leur jean taille 4 un mois après avoir accouché. Ces hommes riches et célèbres qui arborent la dernière montre suisse à la mode, nonchalamment adossés à leur voiture de sport. Soyons honnêtes, nous savons que les photos sont toutes retouchées et que les filles sont anorexiques, et pourtant nous rêvons quand même un peu de leur ressembler.

JE PRENDS CONSCIENCE

La perfection nous énerve autant qu'elle nous attire. Une envie de perfection qui nous pousse régulièrement à vouloir être soi en mieux. Mais une envie qui nous met une belle pression !

Retombons quelques instants en enfance pour mieux comprendre cette quête de perfection.

UN CONDITIONNEMENT QUI DÉMARRE DÈS L'ENFANCE

Nous voulons citer ici une chanson d'Alanis Morissette parce qu'elle résume on ne peut mieux la manière dont s'installe la pression dès l'enfance. Certains d'entre vous vont penser que les paroles de *Perfect* sont exagérées et que c'est complètement caricatural. Détrompez-vous, nous entendons ces propos au quotidien dans le cadre de nos consultations. Nous vous encourageons à écouter cette magnifique chanson dans son intégralité.

Extrait :
« Parfois ça n'est pas suffisant
Si tu es sans faille, alors tu gagneras mon amour
N'oublie pas de gagner la première place
N'oublie pas de toujours sourire. »

Bien, bien, bien… ça laisse sans voix (contrairement à Alanis qui nous emporte avec la sienne). Et pourtant, comme nous le disions un peu plus haut, les paroles de cette chanson ne sont pas éloignées de la réalité : soit vous les avez déjà entendues, même avec d'autres mots ; soit elles ont pris la forme d'une comparaison déguisée (« tu te rends compte, le fils de Mme Ledoux, il a obtenu son diplôme ! Comme elle doit être fière ! »). Autre exemple : vous étiez une adolescente grassouillette et vous avez entendu vos parents dire en parlant de la voisine : « Eh bien, grosse comme elle est, ça va pas être facile pour elle de trouver un mari ! » Gloups…

Tous ces messages installent progressivement l'idée que, pour être accepté, aimé et reconnu, il faut être parfait.

Comme nous l'avons évoqué dans le paragraphe sur la manière dont la pression s'exerce, notamment par le jugement, le perfectionnisme est la conséquence directe d'un conditionnement précoce. Ce conditionnement est initié, en premier lieu, par les parents pour trois raisons (très souvent inconscientes) : un besoin de réparation, un ego parental délicat ou une croyance familiale qui se transmet de génération en génération, comme le magnifique fauteuil Louis XV de la tante Yvonne.

Les parents perfectionnistes par besoin de réparation

Lorsque nous essayons de comprendre ce qui pousse nos clients à se mettre une pression de performance et/ou de perfection, la réponse prend immanquablement sa source dans l'enfance : « Vous comprenez, mes parents n'ont pas pu faire d'études et l'ont regretté. Ils avaient envie que j'aie une vie plus facile que la leur », ou bien : « Ma mère a failli entrer aux Grands Ballets Canadiens, mais elle est tombée malade et ça a mis fin à une possible carrière. Comme j'étais très douée et qu'en plus j'adorais ça, c'était bien normal qu'elle me pousse. Elle ne l'a pas fait pour elle, mais pour que je puisse réaliser mon rêve » (mon ou son ?).

En effet, les parents veulent le meilleur pour leurs enfants. Cependant, entre vouloir un enfant qui évolue harmonieusement et devienne un adulte accompli, et désirer qu'il réussisse à tout prix et lui faire porter une obligation de réussite, il y a une différence de taille. Cette différence réside parfois dans le besoin de réparer notre propre histoire. En effet, si je pousse mon enfant au maximum et qu'il réussit dans la vie, cela voudra dire alors qu'à défaut de m'être accompli moi-même, j'aurais contribué, au moins en partie, à sa réussite. C'est donc un peu ma réussite aussi.

Cela fait de moi un « bon parent » également. C'est ce que nous appelons la réussite par procuration.

Les parents perfectionnistes par ego

Et puis, avouons-le également, au-delà du besoin de réparation, c'est notre ego qui agit pour nous. En société, les parents sont plus à l'aise et beaucoup plus fiers s'ils peuvent dire que leur enfant se destine à être médecin et/ou ingénieur, que de dire du bout des lèvres qu'il envisage un avenir sérieux de serveur chez McDo.

Les parents perfectionnistes par répétition de schémas

Quand nous faisons remarquer à certains parents qu'ils mettent de la pression sur leur enfant, nous obtenons souvent le même type de remarques : « C'est normal d'être exigeant ! C'est comme ça qu'on progresse. Quand on fait les choses, il faut viser l'excellence, sinon autant ne rien faire. Je suis exigeant avec mes enfants mais je suis exigeant avec moi-même également. Je suis perfectionniste, c'est dans mon éducation. Dans ma famille, la réussite est une valeur très importante. »

Si vous avez eu des parents perfectionnistes, deux options se sont offertes à vous (ou les deux consécutivement) :

- soit vous avez pété une coche à l'adolescence et avez envoyé balader le modèle parental et son perfectionnisme ;
- soit vous avez intégré cette injonction de perfection. Le perfectionnisme fait alors partie intégrante de votre fonctionnement aujourd'hui.

Vous en êtes peut-être au stade où vous ne faites pas encore le lien entre votre perfectionnisme et la pression que vous vous mettez. Comme dans l'exemple précédent, vous pensez qu'il est tout à fait sain d'être exigeant et de viser l'excellence. Ou alors, vous en êtes peut-être au stade où vous avez conscience de votre tendance au perfectionnisme et des conséquences négatives qu'elle engendre, mais vous ne savez pas comment faire pour changer et lâcher du lest. Dans les deux cas, nous vous invitons à lire attentivement ce chapitre et à le relire dès que vous sentez la pression monter.

Si vous avez eu des parents qui n'étaient pas perfectionnistes du tout du tout, c'est cool ! Quoique. Car si l'absence de perfection correspondait plutôt à une absence complète d'attentes vis-à-vis de vous, alors, dans ce cas-là, on peut parler d'abandon. Ce qui peut réveiller l'envie de faire parfait pour montrer que l'on a de la valeur.

LA TYRANNIE DE LA PERFECTION

Vouloir bien faire, c'est bien. Vouloir faire toujours mieux jusqu'à parfait, ce n'est pas forcément mieux. Cette quête de performance à tout prix peut se transformer en un dictateur nord-coréen (ou d'ailleurs, ce n'est pas ce qui manque) qui prend le contrôle de notre vie.

Nicole, 46 ans, célibataire

Nicole vient consulter car elle vient de se faire licencier. Directrice dans une grande entreprise, on lui reproche d'être tyrannique avec ses collaborateurs et de ne rien déléguer. Sa brillante carrière lui a coûté un divorce. Son mari est parti car il n'en pouvait plus qu'elle lui mette de la pression et qu'elle refuse de faire des enfants car ils ne rentraient pas dans son plan de carrière. Impossible pour Nicole de ranger le costume de directrice même à la maison.

Autoritaire, toujours insatisfaite, maniaque, elle ne profite jamais. Il y a toujours quelque chose à améliorer. Ça n'est pas parfait ! Elle travaille tout le temps. Tout doit être productif et rentable, même les week-ends. Elle est pendue à son téléphone et ses courriels même en vacances car on ne sait jamais, ses collaborateurs pourraient ne pas savoir faire face à un problème éventuel.

Elle avoue être complètement épuisée d'elle-même : « Je me fatigue toute seule. Je ne m'arrête jamais. J'ai conscience que je stresse tout le monde, au travail, à la maison et surtout moi-même. Il faut que je change car je vois que je suis rendue au bout du rouleau. »

Mais pourquoi Nicole court-elle après un si grand besoin de perfection ? Elle vient d'un milieu extrêmement pauvre. Elle a énormément souffert de la misère, des dettes, de l'insécurité. Très tôt, elle s'est juré de ne jamais vivre la même chose quand elle serait grande. Alors elle a choisi d'être la première en tout. Elle s'est mise à travailler comme une forcenée pour y arriver. Ce qui lui a permis d'obtenir le concours d'entrée d'une grande école de commerce dont elle est sortie première de sa promotion. À partir du moment où elle a décroché une super job, elle a tout fait pour gravir les échelons et gagner le plus d'argent possible. Et elle a réussi. Brillamment.

Mais lorsqu'on est au sommet, la peur qui tenaille quotidiennement est de redescendre un jour de ce piédestal. Alors, il faut continuer encore et toujours à faire de mieux en mieux et à faire en sorte de tout contrôler pour ne pas commettre d'erreurs. Nicole s'est mis de la pression pour réaliser son rêve, se met de la pression pour rester au niveau qu'elle a atteint et met de la pression sur ses équipes, pression qu'elle appelle exigence ou excellence, pour qu'elles ne brisent pas son rêve.

Mais aujourd'hui, Nicole est au bout du rouleau et n'en peut plus. Elle a décidé de prendre ce licenciement comme une opportunité pour faire autrement. Au fil des séances, elle a fait émerger le désir de se former à la gestion humaniste et collaborative pour pouvoir à son tour animer des sessions de formation en entreprise. Elle s'autorisera peut-être même à avoir des enfants.

Un perfectionnisme renforcé par la société

Comme nous l'avons évoqué dans le « Chapitre plate mais nécessaire », nous vivons dans une société qui prescrit des normes et des modèles de réussite idéalisés auxquels il est nécessaire de se conformer si l'on ne veut pas être en marge. Les attentes sociétales qui nous sont renvoyées sont très pesantes. Sous prétexte de nous aider à trouver le bonheur, on nous assène chaque jour des injonctions de performance qui se résument en quelques mots :

- sois beau/belle, jeune, mince et à la mode de chez nous ;
- sois intelligent(e), drôle, spirituel(le) et cultivé(e) ;
- réussis professionnellement, gagne beaucoup d'argent, sois propriétaire rapidement, pars en vacances, roule dans une belle voiture ;
- aie une vie de couple épanouie, une belle petite famille avec des enfants sages qui travaillent bien à l'école ;
- sois un parent parfait qui n'oublie pas de faire les gâteaux pour la fête de l'école, surveille les devoirs, ne s'énerve jamais (parentalité positive oblige).

Il suffit de regarder la grille des programmes télé, les concepts d'émissions et leurs scores d'audience : *Un souper presque parfait*, *Quatre mariages pour une lune de miel*, *Les chefs*, *Questions pour un champion*, *Star Académie*, *Quel âge me donnez-vous*... Sous couvert de divertissement, ces émissions entretiennent toutes l'idée que pour être heureux, il faut être excellent et surtout au top !

Le syndrome de Barbie et Ken

L'injonction de la perfection ne s'applique pas qu'au domaine de la réussite professionnelle. Elle envahit massivement le champ de l'apparence.

Raphaëlle, 32 ans, célibataire et au top

Raphaëlle vient consulter car elle ne se sent pas bien, mais ne sait pas pourquoi. Elle a suivi le conseil d'une amie. C'est une jeune femme superbe mais seulement dans le regard des autres. Quand elle se regarde dans un miroir, elle n'est pas satisfaite. Ses seins ont été refaits lorsqu'elle avait 22 ans et elle s'est fait redessiner le nez deux fois, plus une petite retouche, les deux premières opérations n'étant pas suffisamment réussies à son goût.

Raphaëlle contrôle son poids, mange principalement des fruits et fait une heure de sport tous les jours. Tout son argent passe dans les cosmétiques, le linge et les soins esthétiques.

Lorsqu'elle vit une aventure amoureuse avec quelqu'un, elle fait en sorte d'être toujours au top. Elle nous dit : « Je me réveille maquillée », car elle se lève avant que son amoureux n'ouvre un œil et ne la voit au naturel. Elle ajoute : « Je ne me baigne jamais car j'ai peur de scraper mon brushing. Je me trouve laide avec les cheveux frisés. »

Qu'en dit le psy ? *Lorsque nous creusons un peu plus son histoire, Raphaëlle explique qu'elle a toujours entendu qu'elle n'était pas intelligente. Elle a donc décidé de « tout miser sur son physique ». Raphaëlle vit donc dans une pression permanente de la perfection esthétique, la dictature du beau, mince et irréprochable 24 heures sur 24. Elle ne se sent pas bien, mais ne sait pas pourquoi... Tiens donc...*

Attention, cela n'est pas exclusivement réservé à la gent féminine !

Sylvain, 38 ans, célibataire et bronzé

Nous croisons Sylvain lors d'une formation en entreprise. Pour lui, l'image c'est important dans le travail. En effet, Sylvain est bodybuildé et suit un régime hyperprotéiné. Il est toujours bronzé torse épilé de près et passe sa vie (et une partie de son salaire) au salon de bronzage.

Il explique que l'on réussit mieux si on a une belle gueule. Il ajoute même que les gros sont considérés comme des personnes sans volonté. Si l'on veut être pris au sérieux, il faut donc montrer qu'on ne se laisse pas aller et que l'on fait attention à soi.

À la pause, il explique aussi que les femmes n'aiment pas les laids, sauf s'ils ont beaucoup d'argent, « et comme je ne suis pas riche, il faut que je mise sur mon physique ».

Au fil de la formation, et des temps de pause, Sylvain nous racontera qu'il a été un enfant grassouillet. Il a souvent essuyé des moqueries de la part de ses frères et sœurs. Il n'aimait pas beaucoup le sport et préférait lire et regarder des films. Son père, gendarme, très sportif, lui a toujours dit qu'il n'arriverait à rien dans la vie s'il restait assis sur un canapé. « Mon père me faisait la morale et me disait que les personnes en surpoids avaient plus de difficultés à trouver un emploi. »

Comme Raphaëlle, Sylvain se met de la pression concernant son apparence physique pour ne pas se laisser aller et, pense-t-il, garder son travail.

Ces deux exemples sont malheureusement représentatifs de la tendance actuelle : la tyrannie du paraître. Cette injonction de perfection est omniprésente et s'infiltre dans tous les domaines de notre vie : rencontres amoureuses, réussite professionnelle, etc.

Si je ne suis pas sûr de ma valeur en tant que personne, de mes qualités, de mes talents, je vais essayer de maîtriser mon image et de me raccrocher à ce que les autres voient de moi.

Heureusement que notre valeur et nos compétences ne sont pas calquées sur notre physique. Si cette croyance était vraie, alors les Jean-Pierre Ferland, Nicolas Sarkozy, Barbra Streisand, Lise Dion et autres Rossy de Palma (égérie d'Almodovar) n'auraient jamais pu faire carrière.

Les sites de rencontres utilisent d'ailleurs très bien les leviers perfectionnistes pour attirer les clients. En affichant des critères d'exigence, d'ambition et de réussite financière, ces sites ratissent sélectif mais suscitent le désir du plus grand nombre. D'un côté ils rassurent «les célibataires privilégiés et exigeants» (comme vu dans une pub française à la télé), de l'autre, ils font rêver ceux qui n'ont pas encore accès au carré VIP. Au royaume de la perfection et de l'efficacité, on est loin des jeux de l'amour et du hasard!

Petit paragraphe classé XXX
(à ne pas lire si vous avez moins de 18 ans)

Parlons maintenant d'un sujet sensible qui revient pourtant souvent dans nos consultations et nos discussions entre amis : le sexe! Avec l'arrivée d'internet, les images des films XXX sont devenues accessibles à tous (et à toutes). Les sociétés de production ont créé une image complètement fantasmée et «idéale», une image de l'actrice et de l'acteur porno qui s'est standardisée. On peut même se demander s'il n'existe pas une norme ISO du fantasme sexuel. Ces nouvelles tendances induisent une injonction de performance sexuelle et de perfection esthétique.

Nous rencontrons de plus en plus de femmes (et malheureusement de plus en plus jeunes) qui disent se mettre une pression permanente pour être au meilleur de la

« sexytude ». Elles doutent beaucoup de leur féminité et de leur potentiel érotique. Elles vivent avec la crainte de ne pas être à la hauteur. Qu'elles soient célibataires ou en couple, les femmes ont peur que les hommes leur préfèrent une autre plus sexy et plus aventureuse.

C'est devenu la course au sensationnel. « Je dois développer des compétences de contorsionniste version Cirque du Soleil, au risque de me faire une luxation des cervicales. » La course à l'esthétisme d'une image idéalisée de la femme sexy et excitante est lancée : gros seins, petit cul, peau bronzée sans imperfection, pas de boutons, pas de poils, faux cheveux, ongles mode griffes de lionne, sexe de nymphette épilé intégralement et blanchiment de l'anus. On arrête là !

Les standards physiques du porno ont doucement glissé dans les émissions de téléréalité où des bimbos botoxées et des apollons imberbes exhibent leur corps et leur QI (*sans commentaires*), devenant des icônes pour les 12-15 ans. Et si, en lisant ça, vous vous dites : « Moi mes enfants, non jamais ! », passez à la maison dire à nos adolescents d'éteindre la télévision.

Au-delà de la téléréalité et des caricatures qu'elle véhicule, le sexe n'est plus un sujet tabou et notre rapport au sexe semble devenu décomplexé. La performance sexuelle devient un enjeu. Si mon mari pense que telle star porno est vraiment superbe, je vais me mettre de la pression pour tenter de m'approcher de ce canon esthétique. Idem pour les hommes. Même les femmes peuvent en parler librement et exiger un orgasme à tout prix. L'on est passé du devoir conjugal au droit orgasmique. Pour être épanoui, il faudrait grimper au rideau à chaque fois. Sans parler des célibataires piégés entre la recherche de l'âme sœur et le coup du siècle.

Que penser de toutes les publicités qui vantent les mérites de produits censés élargir, allonger et durcir le pénis ? Spéciale dédicace au bon Dr Viagra (andrologue italien ?), venu soulager la pression des épaules masculines et leur assurer une bandaison (comme disait Georges Brassens) sur commande. Réservées à l'origine aux hommes d'un certain âge et à ceux présentant une dysfonction avérée, les petites pilules bleues représentent un marché de plus d'un milliard de dollars au niveau mondial. C'est dire à quel point la « cible client » s'est élargie et comprend toute une part d'hommes bien portants désireux d'améliorer leurs performances.

Et nous, pauvres mortels de la vie réelle : petits bourrelets, calvitie naissante, grosse fatigue, souplesse à revoir, taille du sexe entre 1 et 5 po, érection capricieuse, boutons sur les fesses, accouchements, épisio avec ou sans rééducation périnéale... Quand nous nous regardons dans le miroir, nous constatons que nous ne courons pas dans la même catégorie. Et alors ? Alors, malgré nos imperfections, nous méritons tous d'avoir une vie sexuelle et affective épanouissante. C'est la pression de perfection qui nous empêche de nous laisser aller et de vivre chaque moment intime comme une expérience enrichissante qui nous permet de nous sentir désirables dans les yeux et sous les mains de l'autre (même si nous ne sommes pas épilés et que nous avons quelques livres superflues). C'est donc en relâchant la pression que nous parviendrons d'autant mieux à profiter des joies de l'amour.

Un perfectionnisme renforcé par les réseaux sociaux

Bienvenue dans le monde merveilleux de Facebook, Twitter, Instagram, des blogs et des forums. Notre vie se voit, s'entend, s'étale, se répand. Le web est devenu le miroir de notre vie extra-ordinaire, de nos opinions, de nos valeurs. Bien que certains étalent leurs échecs de manière pathologique, la règle du jeu des réseaux sociaux veut que nous mettions en scène nos joies, nos réussites, nos jugements, nos enthousiasmes... de façon à montrer à quel point nous sommes des super amants, super parents, super amis, super entrepreneurs, super citoyens, super super en somme. (Nous les premières, mais on se soigne, du moins on tente!)

Au-delà de la convivialité et du lien social qui est indéniable, du partage d'infos et de la joie de voir ses amis heureux, il existe une autre facette, le «côté obscur de la force» des réseaux sociaux, qui entretient un voyeurisme basé sur la comparaison et qui nous ramène à notre petite vie terne en nous donnant des complexes. Ma vie est quand même plus belle que la vôtre et mes nuits plus belles que vos jours. Nous allons alors ressentir la pression de vouloir être aussi bien ou de vivre autant, sinon mieux, que les autres.

Les adolescents sont les plus touchés par ce phénomène puisqu'ils sont nés un clavier sous les doigts et se construisent dans ce miroir narcissique dès leur inscription sur Facebook (avant l'âge légal). «Tu te rends pas compte! Elle est en vacances en Floride, alors que nous, on va chez grand-maman en Beauce, ça fait dur. Y a même pas de wi-fi!»

LA POLICE DES VALEURS

Ou comment avoir la pression de bien faire comme il faut, et pas autrement!

Même si on prend ça cool, même si l'on n'est pas abonné à un site XXX, même si l'on ne va pas cinq fois par semaine au gym, même si l'on ne s'épile les jambes qu'une fois par an pour les vacances et même si un câlin coquin ou deux dans le mois nous suffisent, il y a toujours un moment où nous sommes rattrapés par la police des valeurs qui va nous mettre de la pression.

Il suffit d'aller faire un tour sur les forums de parentalité positive et bienveillante, d'écocitoyen responsable et éthique, et de militants en tout genre pour réaliser à quel point la pression est forte, pour ne pas dire violente.

Nous entendons par police des valeurs toutes les injonctions des groupes d'influence à être des citoyens parfaits, des parents parfaits, des humains responsables pour les générations à venir. Oui, oui, oui, l'intention est plus que louable et nous partageons bon nombre des valeurs affichées.

Parentalité bienveillante, Pédagogie Positive (c'est nous!), allaitement, recyclage, consommation éthique et responsable, militantisme des opprimés de la planète... autant de thèmes qui portent des valeurs nobles en soi. Certains le font dans la nuance, la tolérance et le partage : « On peut faire autrement, découvrez ! »

Mais ce qui nous gêne grandement, et comme pour tous les extrêmes, c'est la vision binaire du message chez d'autres, avec des messages pervertis par le jugement, l'intolérance et le manque de nuances, qui se transforment en matraquage idéologique et s'éloignent des valeurs initiales (« J'ai raison, tu as tort »).

L'utilisation démocratisée des réseaux sociaux permet d'imposer son opinion, de déverser sa haine, d'attaquer, d'accuser ou de juger celui ou celle qui aurait le malheur de ne pas penser comme soi sans autre filtre que celui d'un écran d'ordinateur.

Voici deux petits exemples de messages à pression glanés au fil de notre surf sur le web : « Quoi, tu vérifies même pas que les biberons de ton fils ne contiennent pas de

bisphénol ? T'es vraiment irresponsable, c'est criminel ! »,
ou encore : « N'allez surtout pas acheter vos livres sur
Amazon. Ils prennent le monopole et ils cassent les prix.
C'est la mort du petit commerce, bande d'inconscients. »

OK, c'est vrai, le bisphénol est très toxique. OK, tous
les gros monstres de la distribution par internet enva-
hissent le marché et rendent plus difficile le commerce
classique. OK, donner des fessées n'est pas bon pour l'enfant et n'est pas un modèle éducatif bienveillant.

Mais, entre les ayatollahs de l'allaitement et les fer-
vents défenseurs du biberon à tout prix, on ne sait vraiment plus à quel « sein » se vouer.

Après la perfection extérieure (réussite professionnelle,
esthétique, sexuelle), c'est dans nos pensées et nos choix de
vie que la pression de la perfection s'infiltre. La pression
réside dans l'inconfort provoqué par toutes ces injonctions
paradoxales qui viennent nous attaquer sur la morale et nos
valeurs profondes. Que penser ? Que croire ? Que dire ?

Laissons-nous le droit de faire des choix même imparfaits et laissons-nous la possibilité de les corriger avec l'expérience et le temps de réflexion.

Cette peur de ne pas être à la hauteur, de ne pas être
comme il faut, justifie-t-elle de nous mettre autant de pression ?

Est-il nécessaire de se mettre au régime d'un bout de
l'année à l'autre ? Notre valeur dépend-elle vraiment du
regard des autres ? Comment trouver l'équilibre entre être
à l'aise dans ses shorts et se mettre sous pression permanente pour afficher une image sans faille ?

JE PASSE À L'ACTION

Comme nous l'avons évoqué plus haut, c'est la peur du jugement qui engendre la pression que nous ressentons. Peur de mal faire, peur de ne pas être à la hauteur, peur de ne pas être acceptés tels que l'on est, malgré nos imperfections. Il est temps de vous libérer de cette peur et de vous accepter tel que vous êtes et même de tirer les bénéfices de vos imperfections. Oui, oui, c'est possible !

JE ME LIBÈRE DE LA PEUR DU JUGEMENT

Il serait bien illusoire de croire que nous pouvons nous détacher totalement de ce que les autres pensent de nous. Nous vivons perpétuellement sous leur regard. Nous ne pouvons pas empêcher les gens de penser ce qu'ils pensent en général et ce qu'ils pensent de nous en particulier.

La seule chose que nous pouvons faire est de nous en détacher le plus possible. Ce processus est difficile tant nous avons été conditionnés à puiser notre valeur à travers le regard d'autrui, à commencer par celui de nos parents.

Philippe, 28 ans, chef de projet junior dans les cosmétiques

Philippe vient consulter car il est sous pression permanente. Il dit avoir du mal avec son nouveau patron : « Il met trois jours à valider mes comptes rendus pour me dire, au final, qu'ils ne sont pas assez synthétiques. »

Ça me fout une pression terrible car j'essaie de les refaire mais ça ne lui convient jamais. Il est constamment en train de juger ma façon de travailler, mais ne m'apporte aucune aide. D'ailleurs, je pourrais lui rendre la pareille. Ses réunions hebdomadaires sont ennuyeuses à mourir. Il ne sait pas animer et on ne voit même pas où il veut en venir. Il est vraiment nul comme directeur. »

Philippe prend comme une attaque personnelle les remarques techniques qui lui sont faites et qui le mettent dans tous ses états. Les réunions sont devenues un cauchemar pour lui. Il se contient pour ne pas exploser mais s'imagine en train d'étrangler son chef.

Quand nous creusons un peu l'histoire de Philippe, nous retrouvons des parents perfectionnistes chez qui le droit à l'erreur n'était même pas une option. Cela a développé chez lui un souci du détail exacerbé qui l'empêche de produire des comptes rendus synthétiques.

Nous l'avons invité à changer de regard sur la situation et à vivre la remarque de son supérieur non pas comme une attaque personnelle, mais comme une opportunité de gagner en compétence.

Nous avons creusé avec lui la question du jugement : il n'aime pas être jugé mais il juge aussi. Cette prise de conscience lui a permis de prendre du recul. Son patron a certainement besoin de se rassurer. Il vient de prendre ses fonctions et a des choses à prouver. Il affirme son leadership certainement de manière maladroite. Philippe a compris qu'en arrêtant lui-même de le juger, car il fait du mieux qu'il peut avec ce qu'il a (comme un peu tout le monde), il découvre l'indulgence dont ses parents n'ont peut-être pas toujours fait preuve à son égard.

Il est donc possible de se libérer du jugement des autres. Pour cela, il est nécessaire de passer par trois étapes :

- La première étape consiste à comprendre le principe suivant : le jugement de l'autre ne me définit pas en tant que personne. Je peux me tromper, le jugement sur mes erreurs ne remettra pas en cause ma valeur profonde mais seulement certaines actions que j'ai menées. Je peux même parfois avoir des comportements « pas gentils » ou lâches, cela ne fait pas de moi un « vrai » méchant ou un « vrai » peureux. Ce jugement peut même être une projection de l'autre sur moi. Lorsqu'on me juge, ce que je dois surtout entendre, c'est que l'autre cherche à se rassurer sur sa propre valeur. Apprenons à entendre la mélodie plutôt qu'à écouter les paroles. La petite voix du jugement de l'autre est la même qui nous susurre intérieurement les « douces » critiques sur nous-mêmes : « tu n'es pas assez ceci », « t'es nul ou quoi ! », « tu n'y arriveras jamais », « tu aurais dû faire ça », etc.

- La deuxième étape consiste à accepter que le jugement négatif (parfois même positif) engendre chez moi des émotions négatives. Ces émotions négatives qui reviennent le plus souvent sont la honte et la culpabilité : peur du ridicule, culpabilité de ne pas être celui ou celle que les autres attendaient, peur de décevoir, peur de ne pas être aimé tel que l'on est, etc. Or on a vu que les émotions sont un mouvement qui nous traversent, donc si nous les acceptons comme étant passagères et que nous ne nous y accrochons pas, elles ne s'accumulent pas et nous ne ressentons plus de pression.

- La troisième étape pour se libérer de la peur du jugement des autres consiste à arrêter de porter des jugements sur l'autre. En nous entraînant à être indulgents, tolérants, à comprendre les causes d'un comportement ou d'une attitude, nous nous libérons de la peur d'être jugés et critiqués. Pourquoi ? Parce que c'est une question d'effet miroir. Si je pense que le système fonctionne sur le principe que tout le monde se critique, j'y participe et je redoute la réciproque. Si, au contraire, je cherche à comprendre l'autre avant de le juger, je me rends compte qu'il existe des personnes qui sont dans cette dynamique positive. L'on ne connaît jamais vraiment une personne avant d'avoir essayé de comprendre son histoire et les causes qui la poussent à être et agir de telle ou telle façon.

Petit exercice de compréhension constructive

Nous vous invitons à lister des situations où vous portez des jugements sur certaines personnes, puis à repenser votre jugement en le plaçant sous l'angle de la compréhension. Prenez exemple sur le tableau ci-après pour effectuer cet exercice.

Situations	Si je juge	Si je comprends
Une mère s'énerve après son enfant à la caisse du supermarché.	Ben dis donc, elle est folle, elle sait pas se contenir. Pauvre petit!	Il a dû vraiment la mettre à bout, elle a l'air de ne plus en pouvoir. Elle doit être bien fatiguée.
Vous entrez dans le bureau de votre collègue qui joue à Candy Crush.	Cibole, il ne fait rien de ses journées celui-là.	Tiens, il joue à Candy Crush. Il a certainement besoin d'un break. C'est vrai qu'on est sous pression en ce moment. J'vais voir s'il a besoin d'aide.

À vous de jouer!

Et si vous pensiez à l'appliquer à la personne avec laquelle vous passez le plus de temps : vous ? Nous observons (et nous l'expérimentons avec nous-mêmes) que nous avons plus de facilité à être compréhensifs avec les autres, mais lorsqu'il s'agit d'être compréhensifs avec nous-mêmes, c'est une autre histoire... Eh oui, la petite voix critiqueuse a décidé de squatter votre intérieur depuis longtemps et a organisé son travail de sape. Il est temps de la congédier !

JE GUÉRIS MON ENFANT INTÉRIEUR

Cette année, nous avons eu la chance de retrouver un vieil ami d'enfance d'Audrey, Moshé Aaron[7]. Outre le bonheur des retrouvailles, nous avons eu la surprise de découvrir qu'il était devenu hypnothérapeute. Nous avons tout de suite adoré son approche de l'hypnose : ouverte, pétillante, confrontante et bienveillante.

Au cours d'une discussion, nous en sommes venus à parler de l'enfant intérieur. Nous avions toutes les deux déjà fait une séance de ce genre des années auparavant dans le cadre de nos thérapies personnelles. Lorsque Moshé Aaron nous proposa de nous faire tester une séance, nous nous sommes dit qu'une petite piqûre de rappel pourrait toujours être bénéfique. Et c'est ainsi qu'en état d'hypnose, Moshé nous a guidées à la rencontre de la petite Isabelle et de la petite Audrey.

---

7. Moshé Aaron Marciano est praticien français spécialisé en hypnose ericksonienne et humaniste, ainsi que praticien en programmation neurolinguistique (PNL). Désireux d'aider les autres, il se met ainsi à leur service par l'entremise de l'hypnose thérapeutique, afin de rechercher dans l'inconscient toutes les ressources et les forces que chacun renferme en soi (www.mosheaaron.com).

Nous gardons un très bon souvenir de cette séance. Une expérience intéressante et enrichissante, pour toutes les deux, qui nous a permis de bien faire retomber la pression à une époque où nous recommencions à la sentir monter au niveau professionnel (surcharge de travail, envie de tout mener de front et de tout faire parfaitement). Eh oui! Les vieux démons reviennent régulièrement frapper à notre porte. Malgré tout ce que nous faisons depuis des années pour prendre soin de nous et malgré nos connaissances en matière de pression, nous ne sommes pas à l'abri de retomber dans nos vieux réflexes conditionnés liés à notre enfance. Ces petites voix qui remontent et nous susurrent des «Sois parfaite», «Tu dois réussir», «On ne fait pas les choses à moitié», «Tu es paresseuse», «Fais des efforts»... Ces petites voix représentent tous les messages que nous avons intégrés lorsque nous étions enfants.

L'enfant intérieur, c'est celui qui continue à vivre en nous avec ses joies, ses blessures, ses désirs, ses frustrations et ses doutes. C'est l'enfant que nous étions et que nous avons imaginé être qui reste enfoui quelque part en nous et continue à nous envoyer des messages que, bien souvent, nous n'écoutons pas ou ne voulons pas entendre. Comme nous sommes devenus des «grands», nous avons arrêté de l'écouter. Il est temps de reprendre contact avec lui.

En effet, nous ne pouvons pas refaire le match de notre histoire. Ce qui est fait est fait. En revanche, ce que l'adulte que nous sommes peut faire, c'est aller à la rencontre de l'enfant qu'il a été et de prendre soin de lui, à l'aune du recul et de l'expérience qu'il a aujourd'hui. Ceci afin de le rassurer et de réparer certaines blessures émotionnelles de l'enfance. Si vous avez eu des injonctions de perfection durant votre enfance, cet exercice peut vous être très utile pour vous libérer de la peur de ne pas être parfait, de ne pas être à la hauteur de ce que l'on attend de vous.

Petit exercice pour restaurer son estime de soi

Nous vous invitons à fermer les yeux et à respirer calmement en vous concentrant sur votre respiration. Laissez venir à vous l'image de l'enfant que vous avez été, à l'âge où vous avez entendu les premières injonctions de perfection. Comment est-il? Inquiet, intimidé, joyeux? À quoi ressemble-t-il? Accueillez-le avec un grand sourire et demandez-lui de vous expliquer ce qu'il ressent. Mettez-vous à sa hauteur et parlez-lui calmement. Envoyez-lui les messages suivants: « Tu as le droit de te tromper, ce n'est pas grave, tu es en train d'apprendre », « Je t'aime comme tu es », « Tu as tellement de qualités et de talents », « Tu es parfait comme tu es car tu es unique ».

Prenez-le dans vos bras et dites-lui que vous serez toujours là pour lui. Profitez de cet instant pour ressentir son soulagement. Quittez-le avec un grand sourire.

Petite phrase à écrire et à coller sur votre miroir de salle de bains

Je suis aimable inconditionnellement, même si je suis imparfait.

À un moment de notre vie, nous avons tous eu le sentiment d'être uniques et extraordinaires. Cependant, nous étions trop petits pour nous en souvenir. Cette période se situe entre notre naissance et notre entrée en maternelle.

Quand nous sommes nés, les premiers regards qui ont été posés sur nous étaient empreints de bienveillance, d'admiration et d'enthousiasme.

Un des points essentiels de l'approche que nous proposons est de changer de regard sur soi et sur les autres.

Nous rencontrons souvent des adultes qui nous consultent pour des difficultés professionnelles, personnelles et/ou existentielles. Quand nous mettons en perspective leurs problèmes, nous retrouvons les stigmates de ces petites phrases assassines symptomatiques d'une confiance et d'une estime de soi déficientes. Vous savez ces mots qui tuent la confiance: «Crétin», «Mais qu'est-ce qu'on va faire de toi?», «Tu finiras comme...», «Si tu continues comme ça, tu vas finir dans la rue», «Regarde ta sœur, elle, elle a de bons résultats», «Tu es paresseux», etc.

Nous vous proposons d'expérimenter un «changement de regard» grâce à l'exercice qui suit, au cours duquel vous allez prendre conscience que vous êtes uniques et fabuleux, et qu'à ce titre, vous méritez de prendre soin de vous et de demander aux autres de prendre soin d'eux.

Petit exercice pour prendre soin de celui qui est unique et fabuleux

Quels que soient les injonctions et les jugements parentaux que vous avez intégrés et qui ont conditionné l'image que vous avez de vous-même, il est toujours possible et grandement temps de changer votre propre opinion de vous-même.

Ce n'est pas parce que vous avez toujours entendu que vous étiez «paresseux», «égoïste», «lent», «pas très malin» (nous vous laissons continuer la série) que ces qualificatifs vous définissent et constituent une vérité absolue.

Revisitez votre histoire avec vos yeux d'adulte et faites le compte de tous ces moments où vous avez exactement fait preuve du contraire: vous avez été courageux, généreux, rapide, intelligent, etc.

Ne craignez pas d'avoir la tête enflée, nous n'avons jamais eu vent de ce genre de cas cliniques.

> Vous pouvez également demander à des amis ou proches bienveillants de vous relater des situations où vous avez fait preuve de tout le contraire de ce que vous croyez.

Comme l'illustrent si bien les dessins Mademoiselle Smoothie[8], être unique et fabuleux, c'est savoir que nous sommes certes imparfaits mais parfaitement nous. Encore faut-il savoir tirer les bénéfices de notre imperfection.

JE TIRE LES BÉNÉFICES DE MON IMPERFECTION

Accepter d'être imparfait est pour certaines personnes très angoissant tant elles ont peur de tomber dans la médiocrité. Or, tout n'est que question d'équilibre entre l'imperfection et les bénéfices que nous pouvons retirer de cette imperfection, comme le montre l'histoire de Carole.

Carole, 42 ans, et ses soupers parfaits (ou presque)

Carole vient nous consulter car elle n'en peut plus de son perfectionnisme maladif, comme elle le désigne. Elle se surnomme elle-même Bree Van de Kamp, la rousse hyper parfaite, hyper coincée, hyper malheureuse par moments, de la série *Beautés désespérées*.

---

8. Nous vous invitons à découvrir les dessins Mademoiselle Smoothie sur le site www.mademoisellesmoothie.com

Carole dit : « Quand je reçois des amis à souper, je me mets une telle pression pour que tout soit parfait que c'est un vrai parcours du combattant. Même si j'ai un Livre d'or de mes menus qui m'évite de servir deux fois le même repas à mes convives, j'y pense une semaine à l'avance car je sais que je vais le changer plusieurs fois jusqu'à ce qu'il me convienne. Je veille à ce que l'entrée, le plat et le dessert soient en harmonie. Faire mon épicerie me prend plusieurs heures car je vais dans des endroits différents pour être sûre de trouver les meilleurs produits. Comme je fais attention au budget, je suis capable de faire plusieurs kilomètres pour aller chercher mon fromage dans une ferme. Comme je travaille, par ailleurs, je commence à préparer ma décoration de table trois jours avant en soirée. Quand arrive le samedi, je me lève très tôt car je sais que j'ai besoin de beaucoup de temps pour que tout soit comme dans mon idée.

Le problème, c'est que je ne suis jamais satisfaite du résultat. Avec le temps, je sens le stress monter et je commence à devenir exécrable envers quiconque vient perturber mon travail. En gros, je suis infernale avec mes enfants et mon mari. Il n'est pas rare que j'explose juste avant que les invités sonnent à la porte. Imaginez dans quel état de nerfs je les accueille. Bien sûr, je n'en montre rien. »

Lorsque nous lui demandons : « Vous avez certainement une bonne raison d'agir ainsi. Vous avez peut-être beaucoup de plaisir à cuisiner et à faire plaisir à vos amis ? », Carole répond : « Oui, c'est vrai, mais en fait je me rends compte que je ne profite pas de ma soirée. Je ne suis presque jamais à table. Je surveille toutes les assiettes pour jauger le degré de dégustation, je sers le vin plus vite que mon ombre avant même que les invités n'aient eu le temps d'en redemander. Ensuite, je passe un long moment à tout ranger et surtout à remplir mon Livre d'or dans lequel je consigne le menu, les invités, les vins servis et mes commentaires qualitatifs. J'y décris la décoration pour laquelle j'ai opté afin de surprendre mes invités encore plus la fois prochaine. Le pire, c'est que les gens apprécient et m'envoient des textos de remerciement dès le lendemain. Mais moi, ce que je retiens, ce sont toutes les failles. Du coup, je me couche souvent insatisfaite. Moralité : je n'ai pas profité de mes enfants, de mes invités et je suis épuisée. Finalement, au fur et à mesure, j'ai diminué les soupers jusqu'à arrêter d'inviter des amis à la maison. Le prix à payer est trop cher. C'est dommage car j'ai des amis que j'aime vraiment beaucoup et je les vois moins depuis quelque temps. »

Qu'en dit le psy ? *Nous proposons à Carole une alternative moins radicale que de se couper de ses amis : inviter des amis très proches la semaine suivante et choisir un menu parmi les trois proposés :*

– menu 1 : un plat unique de pâtes à la sauce + un plateau de fruits ;

– menu 2 : une raclette + de la crème glacée ;

– menu 3 : un plateau de fromages + raisin + gâteau de pâtissier.

Nous lui demandons de faire le bilan pertes/bénéfices le lendemain.

Carole revient en séance et nous raconte son expérience. Elle dit avoir eu un peu honte de servir un repas si basique. Elle craignait les réactions de ses amis et s'attendait à entendre un « eh bien, tu ne t'es pas fatiguée ! ».

Au lieu de ça, et à sa grande surprise, ses invités l'ont chaleureusement remerciée pour son invitation et lui ont fait part de la joie d'avoir vraiment partagé la soirée avec elle. Une de ses amies lui a dit : « J'aime beaucoup ton mari, mais je préfère quand même parler avec toi, en plus tu es si drôle ! » À la fin de la soirée, Carole a fait le bilan :

– Bénéfices : achat du plateau de fromages, de la salade et du gâteau (1 heure) ; mise en place et décoration (1 heure) ; séance de cinéma avec ma fille l'après-midi qui fut un très bon moment suivi d'une sieste ; pas de dispute avec mon mari ; être restée assise toute la soirée et avoir ri avec mes amis ; rangement (15 minutes) ; degré de satisfaction : très bon.

– Pertes : aucune.

Carole a compris qu'elle obtenait plus de bénéfices en assouplissant son fonctionnement perfectionniste, et surtout qu'elle n'avait rien perdu ! Elle n'est pas morte de honte, son mari ne l'a pas quittée et la maison ne s'est pas effondrée. C'est « tout bénéfice » comme on dit.

Petit exercice pour lâcher du lest

Et vous, sur quoi pouvez-vous lâcher ?

Faites une liste de trois situations pour lesquelles vous vous mettez une grosse pression pour que tout soit parfait.

Proposez-vous trois alternatives « low cost ». Choisissez celle qui vous met le moins en panique. Mettez-la en œuvre et faites le bilan.

Si votre première tentative échoue, ne vous découragez pas en vous disant « C'est pas pour moi, ça marche pas » (sous-entendu tout de suite). Retentez votre chance. Comme au 6/49, 100 % des gagnants ont tenté leur chance... plusieurs fois.

Si vous n'arrivez pas à vous persuader qu'oser l'imperfection peut être encore possible à votre âge, pensez à vos enfants pour lesquels tout n'est pas encore joué !

 Coup de pouce : Casser la roue du perfectionnisme, un cadeau pour nos enfants

Si vous êtes plutôt du genre perfectionniste, il y a de fortes chances que vous vous laissiez peu, ou pas, le droit de vous tromper. Et vous laisserez très peu à vos enfants le droit à l'erreur également.

En conséquence, vous serez vite agacés si votre enfant n'arrive pas à faire ses exercices du premier coup, s'il ne parvient pas à lacer ses chaussures en un temps record, etc. Mais si vous lui sautez dessus à chaque erreur et portez un jugement négatif, votre enfant risque d'être vite atteint dans sa confiance en sa capacité à « bien faire ». Il aura, dès lors, beaucoup de mal à vouloir retenter l'expérience de peur d'échouer à nouveau et de se faire gronder ou critiquer. La pression va monter de plus en plus.

Autant que possible, et même si l'envie de le dire vous brûle les lèvres, abstenez-vous de déterrer les erreurs du passé. Quand un enfant fait une erreur, concentrez-vous sur la façon d'y réagir correctement. Posez des questions comme : « Qu'est-ce qui s'est passé là ? Que penses-tu que tu pourrais faire différemment la prochaine fois ? »

Créez un lien bienveillant avec votre enfant et encouragez-le à se servir de ses erreurs comme tremplin pour mieux faire la prochaine fois, sachant qu'on peut toujours réparer ses fautes et que l'apprentissage de la vie passe par l'essai, l'erreur et l'ajustement.

Montrez-lui également qu'il vous arrive de vous tromper et sachez demander pardon. Vous êtes son meilleur exemple. Un enfant qui sait qu'il a le droit de se tromper et que ce n'est pas la fin du monde aura envie de tenter plein de choses nouvelles et persévérera plus facilement dans les efforts. C'est la base d'une bonne estime et d'une bonne confiance.

Reprenons ici une phrase très souvent entendue : « C'est plus facile à dire qu'à faire. » OK ! C'est vrai. Mais rien ne vous empêche d'essayer. Personne ne vous demande de réussir parfaitement à être imparfait.

Au-delà du désir de vouloir être au top, notre propos serait incomplet si nous ne prenions pas en compte l'autre raison fondamentale qui nous pousse à viser le zéro défaut : le besoin de garantir notre survie sociale.

Dans une société plombée par la crise économique, la pression que la plupart des gens ressentent est liée à la nécessité de boucler les fins de mois. Cette pression s'exerce donc dans le travail. Nous vous invitons à nous suivre à la prochaine étape, « Penser et organiser son travail autrement ».

Mes petites soupapes du quotidien

* **Imparfaits, libres et heureux** de Christophe André (pratique de l'estime de soi), Odile Jacob (2006), parce que tout est dit dans le titre et qu'il est toujours doux de lire Christophe André

* **J'arrête de me juger** d'Olivier Clerc (21 jours pour changer), Eyrolles (2014), pour apprendre à être doux avec soi-même et avec les autres

* **« Clitorine »**, sketch tiré du DVD **Dernière avant Vegas** d'Audrey Lamy, pour rire de nous-mêmes pauvres parents stressés et stressants parfois pour nos enfants

* **40 ans mode d'emploi**, un film de Judd Appatow avec Leslie Mann et Paul Rudd, pour comprendre que le mieux est souvent l'ennemi du bien et dédramatiser nos petits défauts

* **Le bon côté des choses**, un film de David O'Russell avec Bradley Cooper et Jennifer Lawrence, pour comprendre que parfois, même sans être parfaits, nous pouvons nous réaliser et trouver notre bonheur.

MES RÉUSSITES DANS LA DEUXIÈME ÉTAPE

✓ J'accepte d'être imparfait sans faire dur.

✓ J'ai aussi compris que le perfectionnisme est un conditionnement qui démarre dès l'enfance.

✓ J'ai peut-être reconnu mon type de parents perfectionnistes.

✓ J'ai pris conscience de la tyrannie de la perfection et qu'elle est renforcée par la société *via* les médias et les réseaux sociaux.

✓ Je me libère de la peur du jugement (ça ne se fait pas en criant ciseau).

✓ Je vais guérir mon enfant intérieur pour reconquérir une meilleure estime de moi-même.

✓ Je tire les bénéfices de mon imperfection.

✓ Je me fais le cadeau de casser la roue du perfectionnisme. Mes enfants ou futurs enfants m'en remercieront.

Bravo !

ÉTAPE 3

PENSER ET ORGANISER SON TRAVAIL AUTREMENT

(AVANT DE DÉMISSIONNER)

« Le travail c'est la santé...
Mais à quoi sert alors la médecine du travail ? »

PIERRE DAC

QUI N'A JAMAIS... rêvé de gagner au 6/49 pour s'offrir le luxe de donner sa démission en chantant, tel le roi du monde, de ramasser ses petites affaires et de quitter son boulot pour aller se la couler douce sur les plus belles îles du monde (les Seychelles, les Maldives ou les Îles-de-la-Madeleine)?

Qui n'a jamais caché dans les placards, à moins de cinq minutes de l'arrivée des beaux-parents, toutes les affaires qui traînaient pour faire croire, sourire aux lèvres et à peine essoufflée, que «l'organisation c'est mon rayon»! Un mari, trois gamins, un boulot, un planning multi-entrées, un peu de sport, une séance d'épilation régulièrement... c'est cool, j'assure! Euh, non, je craque en fait!

JE PRENDS CONSCIENCE

Quels que soient les domaines d'activité (professionnel, associatif, scolaire, privé), nous sommes témoins d'une montée en puissance de la pression de performance et de réussite. Au-delà de notre histoire et de notre structure psychique, il existe une pression externe qu'on ne peut pas nier mais contre laquelle il est de plus en plus difficile de lutter.

UNE PRESSION QUI NOUS VIENT DE LA SOCIÉTÉ

La crise économique a instauré une précarité économique et psychologique. Nous vivons dans un pays avec un fort taux de chômage, où la plupart des gens se sentent sur un siège éjectable dans la crainte d'un licenciement économique et où de jeunes diplômés sont obligés d'enchaîner des stages dans l'espoir de décrocher un poste.

Nous constatons simplement des faits. Pour la plupart d'entre nous, trouver et garder une job est devenu la plus grande source de préoccupation et de pression. Travailler est devenu un bien précieux qu'il faut défendre, préserver à tout prix. Et quand nous disons à tout prix, nous savons, pour l'avoir observé depuis des années, que parfois le prix est très cher payé.

Par ailleurs, la société, par médias interposés, nous renvoie une certaine image du bonheur : bienvenue dans le monde merveilleux de la société de consommation. Le bonheur est au bout du terminal de paiement par carte bancaire. Pour être heureux, il faut consommer, il faut avoir toujours plus et toujours mieux. Votre vie sera plus jolie si vous roulez en Mercedes 500 SL plutôt qu'en Hundai Accent.

Cependant, pour consommer, il faut de l'argent. Et pour avoir de l'argent, il faut le gagner. Donc il faut un travail. Une fois que vous avez le travail, il faut vous débrouiller pour le garder.

Pour garder leur emploi, certains ont tout accepté (augmentation des cadences, de la pression, heures supplémentaires...). De nos jours, l'entreprise n'est plus seulement un lieu de travail, mais de compétition, de pression, et malheur à celui qui craque, qui n'atteint pas ses objectifs, qui semble fatigué...

Et tout ça pour quoi ? Pour pouvoir consommer encore un peu plus. Le problème avec le niveau de vie, c'est que l'on s'y habitue vite. Donc, si je veux jouir un peu plus de tous les délices qui « s'offrent » à moi, je dois gagner encore plus d'argent. C'est ainsi que je vais repousser mes limites toujours un peu plus et m'infliger une pression intense.[9]

---

9. www.cjunodconseil.com

Petite réflexion pour retrouver son sens critique

Réussir dans la vie est-ce réussir sa vie?

Est-ce une réussite que de réussir selon un modèle social complètement délirant? La réussite d'une vie passe-t-elle nécessairement par la réussite professionnelle et financière? L'argent est-il vraiment le seul but du travail?

Interrogeons-nous quelques instants sur l'expression «je travaille pour gagner ma vie».

Christian Junod[1], ancien banquier, formateur consultant sur la question de notre relation à l'argent, soulève un point qui nous semble essentiel. Il fait réfléchir les participants de ses formations à l'expression «gagner sa vie»: notre vie, avons-nous vraiment besoin de la gagner? Ou nous est-elle offerte à la naissance?

Il est assez troublant de remarquer la relation que nous mettons entre travailler pour gagner de l'argent qui va nous permettre de subvenir à nos besoins primaires (nourriture, toit pour dormir, vêtements, etc.) et courir après l'argent pour remplir notre vie (ou notre vide). Cela voudrait-il dire que si nous ne gagnons pas d'argent, nous perdons la vie?

Jusqu'où acceptons-nous d'aller pour gagner cette vie? Parfois jusqu'au burn-out, malheureusement de plus en plus.

GARE AU BURN-OUT!

À ne pas confondre avec la cape en laine d'origine berbère lorsqu'on le prononce avec l'accent français «burnou»!

Le burn-out veut dire «brûlé de l'intérieur». Sympa comme image, non? Cela s'appelle, également, le syndrome d'épuisement professionnel (SEP) ou maternel (SEM).

Gérard, 56 ans, ex-expert en assurances, attend la retraite

Gérard est expert en assurances. Très professionnel et très reconnu dans son domaine, c'est le spécialiste des expertises en bâtiment de par le monde. Il prend des avions, monte sur des toits, fait des contorsions pour expertiser des dégâts immobiliers et ne s'arrête jamais car le travail n'attend pas et que « les autres font moins l'affaire que lui », comme dit son patron. Il dort dans les avions, encaisse les décalages horaires, voit très peu sa famille. Lorsqu'il a expliqué à ses patrons qu'il avait trop de dossiers et qu'il avait l'impression d'être en surcharge, on lui a répondu qu'il n'y avait pas de possibilité d'embauche et que, de toutes façons, personne n'avait son niveau d'expertise.

Gérard fait donc la job pour lequel il est bien payé, jusqu'au jour où, bien qu'il n'ait jamais eu mal au dos, Gérard se retrouve bloqué sans pouvoir bouger. Le diagnostic tombe comme un couperet : double hernie discale à opérer d'urgence, des suites d'opération compliquées et six mois sans pouvoir marcher. En arrêt de travail depuis de longs mois, il va être mis en préretraite prochainement.

Gérard dit maintenant qu'il aurait dû s'écouter davantage, faire des pauses et que ses comptes d'épargne pleins ne pourront jamais remplacer la mobilité qu'il a perdue.

Il a appris récemment par ses anciens collègues que la zone dont il était responsable est maintenant couverte par trois personnes, là où il « réussissait » à s'en occuper tout seul.

 Lorsque nous interpellons Gérard sur les raisons qui l'ont poussé à se transformer en Spider-Man de l'expertise immobilière, il nous répond : « Bah ! je ne sais pas faire les choses à moitié et puis je suis un pro donc je dois assurer. » Il ajoute également qu'il avait à cœur de ramener assez d'argent pour pouvoir satisfaire les besoins de sa famille et la passion de son fils aîné pour le moto-cross.

Et pourtant, il aurait pu éviter la catastrophe des mois avant car les nombreux signes avant-coureurs ne manquaient pas...

Les signes avant-coureurs du burn-out

Lorsque nous allons trop loin dans l'utilisation de nos ressources et que nous n'écoutons pas les petits signaux d'alerte, nous risquons, un beau matin, de ne plus pouvoir poser le pied par terre, de ne pas nous relever d'un rhume et de nous retrouver dans l'incapacité physique et mentale de poursuivre toute activité. Cela n'arrive pas qu'aux faibles et à ceux qui ont déjà des problèmes psychologiques. Bien au contraire, cela arrive souvent aux « forts », à ceux qui ne lâchent jamais et qui s'investissent plus que de raison.

Voici, pour votre information, une liste des signes avant-coureurs du burn-out :

- troubles du sommeil ;
- difficulté à déconnecter ;
- fatigue persistante y compris pendant les week-ends et les vacances ;
- diminution de l'efficacité au quotidien ;
- incapacité à se concentrer ;
- doutes sur ses propres compétences et dévalorisation de son travail ;
- isolement social ;
- sentiment que l'entourage nous abandonne ;
- tentation d'en faire toujours plus pour compenser ;
- émotions exacerbées ;
- sentiment de culpabilité ;
- désengagement après une période d'hyperactivité ;
- tachycardie ;
- élévation des taux de cholestérol, triglycérides, acide urique ;
- développement d'addictions (drogue, alcool, antidépresseurs et anxiolytiques).

Ce qui doit alerter, c'est la concomitance d'une majorité de ces symptômes. Si vous faites une ou deux insomnies, vous n'êtes pas en burn-out. Si toutefois vous avez un doute, nous vous invitons à faire un test en ligne sur le site www.therapiebreve.be. Ce test est intéressant à plus d'un titre puisqu'il explore trois dimensions du burn-out: l'épuisement personnel, l'épuisement professionnel et l'épuisement relationnel.

C'est selon nous un bon outil de diagnostic et de prévention, qui ne saurait toutefois remplacer le diagnostic d'un professionnel de la santé au travail.

Vous allez peut-être trouver que notre propos est alarmiste. Si seulement... Il décrit une réalité du monde du travail aujourd'hui.

Nous intervenons régulièrement dans les entreprises où nous menons des actions de prévention des risques psychosociaux, à la demande des DRH, de la CSST et/ou des syndicats. Dans un monde idéal, notre action se limiterait à de simples formations. Malheureusement, nous sommes de plus en plus fréquemment appelées pour jouer les pompiers de service quand rien ne va plus.

Il est important de comprendre ce qui se joue du côté de la personne qui travaille, pour qu'elle se sente bien dans son activité, mais pas seulement. Le travail n'est pas qu'une question individuelle. C'est aussi une activité collective. La mise en commun du travail, la collaboration et la coopération permettent ainsi de limiter les risques.

À la question « Qu'est-ce que travailler pour vous ? », nous obtenons toutes sortes de réponses, dont:

- travailler, c'est juste alimentaire;
- travailler, c'est épuisant;

- travailler, c'est avoir un statut social ;
- travailler, c'est la santé (quoique) ;
- travailler, c'est développer ses compétences et apprendre de nouvelles choses ;
- travailler, c'est être en lien avec les autres ;
- travailler, c'est faire ce qu'on nous demande de faire.

Petit exercice pour définir le travail selon vous

À vous de répondre en toute objectivité à la question « Qu'est-ce que travailler pour moi ? » :

Un peu de psychologie du travail

En psychologie du travail, on dit que travailler, c'est combler l'écart entre le prescrit et le réel.

Le travail prescrit, ce sont toutes les tâches prévues dans ma définition de poste, tout ce qui est prévu au contrat. Le réel du travail, ce sont tous les aléas, tout ce qui n'était pas prévu au départ mais qui ne doit pas nous empêcher de travailler et même nous permettre d'accomplir notre tâche.

Dans cet écart-là, je mets tout ce que je suis. Tout ce qui constitue mon identité (ma formation, mon histoire, mon expérience, mes émotions, mes valeurs…).

Quand j'arrive à combler l'écart, c'est le bonheur total : « C'était pas donné d'avance, mais j'ai réussi quand même car j'ai trouvé des super solutions. J'suis épuisé mais ça valait le coup et c'est de la bonne fatigue. » C'est ce que Christophe Dejours, psychiatre, psychanalyste et ancien responsable de la chaire de psychologie du travail au

Cnam (Conservatoire National des Arts et Métiers, en France), appelle l'intelligence rusée, la métis.

C'est là que l'on peut faire l'expérience du plaisir au travail, qui n'a rien à voir avec la facilité. C'est réussir malgré les contraintes.

Cependant, quand l'écart devient de plus en plus grand, je vais continuer d'essayer de le combler, malgré la difficulté. C'est un peu comme si vous tentiez un grand écart facial, alors que vous n'avez jamais fait de danse. Ça fait mal! Je souffre mais je continue quand même à essayer de bien faire mon travail car je suis un «professionnel», j'ai été formé pour ça. Mais à ce moment-là, je risque d'expérimenter la souffrance au travail et de commencer à m'abîmer.

Mais pourquoi le travail nous fait-il souffrir? Parce qu'on pourrait s'en fiche après tout. Nous ne sommes pas tous masochistes. Le travail peut faire souffrir car justement, nous ne nous en fichons pas, car nous avons à cœur de bien faire.

Au-delà du désir de bien faire et d'obtenir une rémunération, travailler c'est d'abord s'éprouver soi-même, corps et âme, au regard des contraintes que nous impose notre environnement. C'est aussi un moyen de développer notre potentiel et nos talents. C'est, enfin, au travers de notre action, le moyen de laisser notre empreinte au sein de l'humanité.

«Le travail peut donc être le meilleur et le pire. On y risque son intégrité (physique ou morale) et notre identité. On peut s'y perdre comme s'y révéler, s'y accomplir ou s'y détruire», comme le rappelle Christophe Dejours.

Au-delà de l'envie de bien faire et de réussir ou pas professionnellement, qui nous est personnelle, il existe une autre dimension qui s'impose à nous et vient renforcer la pression ambiante: l'évaluation.

UNE PRESSION RENFORCÉE PAR UNE ÉVALUATION CONSTANTE

Entretiens annuels d'évaluation, tableaux d'objectifs prévisionnels, rapports annuels, etc., tout cela fait partie du paysage dans le monde du travail. Aujourd'hui, force est de constater que nous sommes évalués et que nous évaluons, en permanence, le résultat mais jamais la manière d'y parvenir. Cette évaluation démarre au berceau et va nous poursuivre toute notre vie, même si l'on court vite.

L'évaluation est utile, certes, pour donner des repères. Mais elle n'est utile que si nous en faisons quelque chose de positif et de constructif tant individuellement que collectivement.

Or, bien souvent – trop souvent –, l'évaluation est le bras armé d'une norme réductrice et décourageante, voire même dégradante pour celui qui a le malheur de se placer au bas de l'échelle.

De nombreux auteurs, professeurs pour la plupart, ont dénoncé ce système complètement négatif et pressurisant de l'évaluation. Hélas, il y a peu (pas?) de gestionnaires qui ont choisi de s'en passer. Votre dernière évaluation annuelle réveillera certainement quelques doux souvenirs pour certains.

L'évaluation est basée sur la norme. Bien que nous ne comprenions pas toujours comment et sur quels critères la norme a été posée, elle détermine qui se trouve à l'intérieur et qui ne fait pas partie du club. C'est cette norme qui fait qu'à un moment de notre développement, l'on veut se conformer et rentrer dans le moule.

L'évaluation a un effet doublement pervers. Non seulement elle nous met une pression énorme mais elle nous isole de ceux avec lesquels nous sommes censés coopérer :

les collègues. L'on nous demande de travailler ensemble et de mettre en commun nos compétences mais on nous évalue individuellement, les uns par rapport aux autres. Et ça, ça n'est vraiment pas bon pour l'ambiance.

QUAND LA PRESSION DONNE ENVIE DE PRENDRE SES JAMBES À SON COU

Parfois la pression est tellement forte que la seule solution qui s'impose à nous est la fuite. « Je prends mes affaires et je sacre mon camp. » Oui mais pour faire quoi ? Est-ce vraiment la seule solution ?

François, 42 ans, aime les livres

Quand François vient nous voir, il réussit brillamment une carrière internationale dans le marketing. Toujours entre deux avions, une fille dans chaque port, le teint hâlé et la quarantaine fringante. Que fait-il dans notre bureau puisque sur le papier tout semblait bien aller ? Seulement, François n'en peut plus : « Je suis fatigué. J'ai tout pour être heureux, je performe au travail mais pff ! Je ne fais que ça… J'ai pas de blonde, pas d'enfant, j'vois plus mes chums et j'ai même plus le temps de lire. Je suis tanné. Tanné du rythme avion-boulot-dodo pour remplir mes objectifs. J'ai de l'argent mais je n'ai même pas le temps de le dépenser. Je rêve de sacrer tout ça là. »

C'est alors que nous lui faisons le coup de la baguette magique, celle qui permet d'imaginer ce que l'on aimerait faire si…

Et là, une seule réponse qui a jailli comme une évidence : « Lire ! » Et nous de répondre : « Lire ? » « Oui, lire. Si j'avais une baguette magique, j'aimerais passer ma journée entouré de livres, pouvoir les toucher, raconter des histoires, apprendre de nouvelles choses, rêver et faire rêver. » « Ah ! Libraire alors ? » « Ah non ! Libraire, c'est commerçant. C'est donc trop de stress : chiffre d'affaires, responsabilité, paperasse en tout genre. Moi, ça serait plutôt employé de bibliothèque, vous voyez ? »

Oui, nous voyions parfaitement ce à quoi François aspirait. Tranquillité d'esprit, plaisir et joie de travailler dans un environnement qui lui plaît sans autre responsabilité que de conseiller des lectures, raconter des histoires à des enfants et prendre soin des livres, et avoir un rythme qui lui permette de vivre autre chose que du travail.

En deux ans, François a passé le concours pour être bibliothécaire. Il a trouvé une place dans la ville voisine de son domicile. Il s'est marié et il lira bientôt des contes à son petit bébé. Le deuil de son salaire annuel à cinq zéros n'a pas été douloureux car comme il le dit très bien : « Je gagne tellement plus aujourd'hui ! »

Marianne, 34 ans, aime les chiffres

Marianne est analyste financière dans une grosse compagnie. Elle vient nous voir car elle a eu plusieurs malaises sur son lieu de travail et elle ne comprend pas ce qui lui arrive. Elle adore son métier dans lequel elle réussit brillamment. Nous cherchons à savoir s'il y a eu un événement qui a pu la contrarier dernièrement. Elle raconte qu'on lui a demandé de fermer les yeux sur une anomalie dans l'analyse d'un bilan financier, qu'elle avait mise en lumière. Elle réalise qu'elle est très contrariée parce qu'elle a l'impression d'être complice d'une fraude. En élargissant, elle prend conscience que la manière dont on lui demande de faire son métier ne lui convient plus et la fait souffrir. Elle ressent une pression permanente qui l'empêche même de dormir. Quand son mari et son entourage lui conseillent de changer de branche, elle se défend : « Pourquoi changer puisque j'adore ce que je fais. Analyser, conseiller et aider, c'est mon truc. »

Bien qu'elle résiste, Marianne commence à se demander si, en effet, elle ne devrait pas tout arrêter... Au contraire de ce que son entourage lui renvoie, nous l'encourageons à rester dans ce métier qui la passionne et pour lequel elle est vraiment faite, mais de trouver une structure plus adaptée, où la pression sera moins forte et les valeurs en accord avec les siennes.

Dans sa nouvelle dynamique de recherche d'emploi, qui a pris un certain temps puisqu'elle a retrouvé une place huit mois après, Marianne a su prendre du recul. Elle a fait la part des choses entre un surinvestissement et une exécution de bonne foi de son contrat de travail.

Vous l'aurez compris, trop de pression nuit gravement à la santé. Ses effets n'ont pas seulement une incidence sur celui qui la subit (et se la met). Sans aller jusqu'au burn-out, la souffrance au travail générée par trop de pression a des conséquences sur les organisations :

- ambiance de travail dégradée ;
- luttes de pouvoir, luttes d'influence, rumeurs ;
- créations de clans avec boucs émissaires ;
- conflits ;
- perte d'efficacité, mise en danger ;
- absentéismes, arrêts de travail.

Autant d'éléments qui signent la limite d'un système pressurisant et qui ne peuvent être seulement attribués à des individus incompétents.

Quand nous évoquons la pression dans le travail, nous prenons en compte la notion de travail au sens large, qu'il soit rémunéré ou non. Nous avons donc choisi d'évoquer aussi avec vous la réalité des mères sous pression.

Le burn-out des mères

Aussi appelé syndrome d'épuisement maternel (SEM), ce burn-out maternel touche de plus en plus de femmes. C'est un phénomène qui nous préoccupe au plus haut point tant nous voyons les ravages qu'il entraîne. Certaines se font aider et s'en relèvent, d'autres, malheureusement, coulent et se noient sous le poids de la pression et dans leur dépression.

Véronique, 38 ans, ou quand Wonderwoman ne rentre plus dans son short et a perdu son lasso magique

Véronique vient consulter à la demande du psychiatre pour une dépression maternelle. Nous voyons arriver une jeune femme épuisée au regard vide. Elle est vêtue d'un pantalon de jogging et d'un tee-shirt assez informes. Elle ne porte aucun maquillage et ses cheveux sont ramassés en une espèce de chignon. À peine commençons-nous la séance qu'elle éclate en sanglots : « Je n'en peux plus, je n'y arrive plus. Je suis tellement fatiguée. Parfois, je voudrais juste ne plus me réveiller le matin. Je voudrais que toute cette pression s'arrête… »

Véronique a toujours fait ce qu'on attendait d'elle. Première de la classe, petite championne de tennis, études de médecine brillantes. Elle a rencontré son mari pendant ses études. À 25 ans, alors qu'elle n'avait pas encore terminé son cursus, elle tombe enceinte. Elle est heureuse. Pendant les années qui suivent, tout s'enchaîne : elle a deux autres enfants. Elle mène de front toutes ses activités : thèse de médecine, poste à l'hôpital, éducation des enfants, ménage, cuisine, devoirs. Pour arrondir les fins de mois, elle fait des remplacements en cabinet privé. Elle n'arrête jamais. Elle ne dort pas plus de cinq heures par nuit. Tout lui réussit cependant. Jusqu'à ce jour où sa petite fille de six mois fait une crise de larmes inconsolable. « J'avais ma fille dans les bras, elle pleurait tellement fort. Je n'arrivais pas à la calmer. C'est devenu insupportable et j'ai senti que si je ne la posais pas, j'allais la lâcher tant j'étais incapable de supporter ses pleurs.

Je l'ai mise dans son lit et suis allée me réfugier dans ma chambre. Je pleurais. Je me trouvais tellement nulle. Je me suis regardée dans le miroir et j'ai vu celle que j'étais devenue. Une mère déformée par les grossesses successives. Avant j'étais mince, je me trouvais même jolie.

Là, j'avais vingt kilos de trop, les cheveux ternes, des cernes tellement foncés qu'on eût dit un panda. Incapable de bien m'occuper de mes enfants, de mon mari. Parfois je me dis que si je n'étais plus là, tout irait beaucoup mieux pour tout le monde. Pourtant je fais tout pour que ça tourne. J'ai l'impression d'être à 100 % au boulot, 100 % pour les enfants et 100 % pour la maison. J'ai l'impression de me plier en douze et pourtant on dirait que ce n'est jamais assez bien... Que personne n'est content. C'est vraiment injuste. »

Le moins que l'on puisse dire est que Véronique est épuisée. Elle est tellement exigeante envers elle-même qu'elle tente de tout concilier sans jamais faillir. Elle ne veut rien lâcher. Elle met la barre tellement haut qu'elle se déçoit toujours. Ce n'est jamais assez bien. Alors, elle redouble d'efforts jusqu'à l'épuisement.

Ensuite c'est le cercle vicieux et infernal qui commence. Plus elle en fait, plus elle se fatigue, plus elle se fatigue, moins elle est performante. Moins elle est performante, moins elle s'estime, plus elle en fait... et ainsi de suite. Jusqu'à la dépression. Jusqu'à ne plus trouver aucune source de satisfaction dans sa vie. « Je n'arrive même plus à sourire des mots et facéties de mes enfants. » Sans commentaire!

Que nous aimions notre travail ou non, que nous soyons en entreprise, indépendants ou au foyer, le travail est un moyen de nous développer intellectuellement et humainement. Il nous permet également d'apporter notre contribution à la société. Cependant, nous voyons bien comment dans certaines conditions, travailler peut devenir pénible et douloureux. La pression que nous nous mettons, outre le fait qu'elle nous abîme, devient contre-productive. Nous devenons moins efficaces et moins motivés et surtout, surtout fatigués. Il est temps de passer à l'action avant que le travail ne vous rende malade.

Je passe à l'action

À présent que vous avez compris à quel point la pression dans le travail est aussi mauvaise que les émanations de gaz toxiques, vous allez vous dire : « C'est bien beau tout ça, mais on fait comment pour s'en sortir ? » Comme éliminer son boss ou abandonner ses enfants et son conjoint sur une aire d'autoroute ne sont pas, à première ni même à deuxième vue, des solutions légales, nous allons en explorer d'autres ensemble...

Vous vous souvenez de notre envie de perfection ? Eh bien, il nous paraît nécessaire de la calmer encore plus dans le travail.

JE CALME LES ARDEURS DU SUPER-HÉROS QUI EST EN MOI

À force d'avoir regardé les aventures de Super Jaimie, Wonderwoman, Superman et Batman, nous nous sommes convaincus que, nous aussi, nous étions capables d'être aussi performants et de tout mener de front : travail, famille, loisirs, amis, activités. Nous avons juste oublié que nous ne disposons ni de lasso magique ni d'organes bioniques et encore moins du don de voler à la vitesse de l'éclair. Alors nous repoussons toujours un peu plus nos limites, laissant la pression monter toujours plus haut. Pour illustrer les mécanismes de cette pression, nous avons choisi un exemple de mère au foyer car, malgré les apparences, il n'y a pas qu'en entreprise qu'on se met de la pression (qu'on vous met de la pression). Être mère au foyer est aussi un emploi à temps plein pour certaines...

Martine, 43 ans, mariée, mère au foyer, ou quand Superman devient l'homme invisible

Mère de deux enfants de 10 et 8 ans, Martine a pris un congé parental à la naissance du deuxième. Elle n'a depuis jamais repris son poste d'assistante de direction. « J'ai choisi de devenir mère au foyer. C'était important pour mon mari et pour moi que je puisse me consacrer à plein temps à l'éducation des enfants et à la maison. Et puis quand mon mari a fait les calculs, il s'est avéré qu'il n'était pas intéressant financièrement que je retourne travailler. Entre les frais de garde et les impôts… »

Martine se dit fatiguée et déprimée ces derniers temps. « Pourtant j'ai tout pour être heureuse. Mon mari gagne correctement sa vie. Nous sommes propriétaires de notre maison. Mes enfants sont vraiment super. L'aîné nous ramène des bonnes notes. Le benjamin a des problèmes de dyslexie, donc cela me prend beaucoup de temps pour l'aider dans les devoirs, mais il est très bon en soccer. »

Quand nous lui demandons où est le problème alors, Martine répond : « Je crois que le problème, c'est que je ne sais pas m'organiser. Je suis toujours débordée. Je ne m'arrête pas de la journée. Pourtant je n'ai que ça à faire. » Nous lui demandons ce qu'elle fait entrer dans le « que ça ». Martine nous regarde comme si nous avions dit une grosse bêtise. « Bah, ce qu'une mère au foyer fait : s'occuper des enfants, les courses, les repas, le transport, le ménage, le linge, les papiers, les devoirs. C'est ce que nos mères faisaient et elles avaient plus d'enfants. »

Nous savons, pour l'avoir chacune expérimenté, qu'être mère au foyer est une job à plein temps. Cependant, une phrase prononcée par Martine nous met la puce à l'oreille. « Une fois que je me suis occupée du linge le matin, il est déjà l'heure d'aller chercher les enfants à l'école pour le dîner. » Comment se fait-il que le linge lui prenne autant de temps ? « Vous ne vous rendez pas compte, je dois faire au moins cinq lessives différentes par jour. » Cinq lessives par jour ? N'est-ce pas un peu beaucoup ça ? À croire que Martine s'occupe des maillots de toute l'équipe de soccer de son fils. En questionnant Martine sur ses habitudes, nous comprenons qu'elle est très exigeante et perfectionniste. Plusieurs lessives car elle ne mélange ni les couleurs ni les matières. Elle passe son temps à laver à la main, même les vêtements qui pourraient passer à la machine mais qu'elle estime trop délicats. Elle fait son épicerie quasiment au jour le jour pour que tous les produits soient bien frais.

Elle récupère ses enfants tous les jours pour le dîner. Nous pourrions continuer la liste de toutes ses tâches mais ce serait trop long. Nous vous laissons imaginer ce que peuvent être les journées de cette maman « parfaite ».

Pas étonnant que Martine soit épuisée. Contrairement à ce qu'elle pense, Martine ne souffre pas d'un manque d'organisation mais bel et bien d'une surcharge de travail et de l'énorme pression qu'elle se met pour être cette mère/femme « parfaite ».

Après lui avoir fait remarquer qu'il était normal qu'elle n'en puisse plus, nous lui demandons pourquoi elle en fait autant et surtout pourquoi elle ne demande pas d'aide à son mari. Nous connaissons déjà la réponse, pour l'avoir entendue des centaines de fois dans nos consultations: « Mais je n'en fais pas trop! C'est normal quand on est mère au foyer de bien s'occuper de la maison et des enfants. Mon mari travaille beaucoup, il subit beaucoup de pression. Quand il rentre le soir, il est fatigué. Donc c'est mon rôle de gérer toute l'intendance. C'est la moindre des choses, puisque c'est lui qui nous fait vivre. »

Nous demandons à Martine si elle peut revenir consulter avec son époux pour discuter de son état. Une semaine plus tard, Martine et Thierry sont assis en face de nous. Nous demandons à Thierry ce qu'il pense de la situation de sa femme: « Je vois qu'elle est épuisée ces derniers temps mais je ne suis pas sûr d'être d'une bonne aide. Je le suis moi-même. Je suis sous pression au travail et je rentre très tard le soir. La fin de semaine, je suis mort. Je pense déjà à la reprise du lundi, d'autant que je ramène souvent mes dossiers à la maison. Il faut dire aussi qu'à chaque fois que je veux l'aider avec les enfants ou les tâches ménagères, ce n'est jamais assez bien. Martine repasse systématiquement derrière moi ou alors elle me dit: "Laisse tomber, je vais le faire." Je ne sais pas pourquoi elle en fait autant. Je n'ai pas besoin qu'elle mette les petits plats dans les grands, je pourrais donner mes chemises à repasser au nettoyeur. Mais elle veut tout faire. »

L'exemple de Martine vous semble caricatural et daté d'un autre siècle ? Si seulement c'était le cas...

Combien sont-elles, ces femmes qui s'imposent un rythme de travail domestique délirant ? Combien d'entre elles s'épuisent dans l'accomplissement du travail « le plus beau du monde » et surtout le moins bien payé ? On nous dit dans l'oreillette « pas payé du tout ». Une étude réalisée par le site américain salary.com, intitulée « Combien vaut le travail d'une mère au foyer », a démontré que les mères au foyer américaines travaillaient 94 heures par semaine en moyenne, 365 jours par an. Si ce travail devait être rémunéré, cela équivaudrait à un revenu d'environ 4 000 dollars par mois au salaire minimum. Ça fait envie, non ?

JE ME LIBÈRE DES CROYANCES ET DES REPRÉSENTATIONS

Les histoires de Gérard, Martine et Véronique nous montrent à quel point nous pouvons être prisonniers de croyances et de représentations qui nous poussent à vouloir toujours faire plus et mieux.

Gérard pense qu'être un bon professionnel, c'est accepter d'être dévoué corps et âme à son travail. Par ailleurs, il est enfermé dans la croyance qu'un « bon père de famille » doit assurer financièrement, pour rendre heureux les siens et assurer leur confort. En dépit de la fatigue qu'il ressentait, il en faisait toujours plus car, pour lui, tout est une question de volonté : « Quand on veut, on peut. » Accroché à cette croyance, il a ignoré la fatigue générée par un rythme de vie harassant et il a fait fi des alertes que son corps lui envoyait.

Nous rencontrons beaucoup d'hommes pris au piège dans une représentation du soutien de famille, investis d'une responsabilité qu'eux seuls peuvent porter. Parce qu'un homme ne doit pas se plaindre, un homme se doit d'être fort en toutes circonstances. Ben voyons !

Martine, à défaut d'être reconnue dans un « vrai » travail, cherche une reconnaissance de sa valeur en étant la femme au foyer « parfaite ». Elle compense également sa culpabilité vis-à-vis de son mari et de la société de ne pas ramener d'argent. Au cours des séances, elle a pris conscience qu'elle reproduisait le modèle familial de ses parents. Elle a toujours vu sa mère à la maison et son père mettre les pieds sous la table dès qu'il rentrait du boulot.

Il faut croire que tant d'années de lutte pour la libération de la femme n'ont pas encore réussi à nous sortir de ce modèle archaïque. Bien que nous observions que les « nouveaux pères » s'investissent un peu plus auprès des enfants, force est de constater que la majorité de l'organisation de la vie quotidienne incombe encore et toujours aux femmes.

Si nous reprenons l'histoire de Véronique, elle fait, quant à elle, partie de ces femmes actives qui pensent pouvoir tout concilier. Carrière, famille, amis, vie sociale. Au cours des séances, elle a pris conscience qu'elle avait été formatée pour tout réussir, ce qui l'avait amenée à croire que pour être aimée, il fallait toujours être au top. Véronique souffre, comme la majorité des mamans qui travaillent, d'une culpabilité tenace. Comme si, pour gagner le droit d'avoir un métier et une carrière, nous devions surcompenser au niveau familial. Cette croyance est encore forte aujourd'hui : « Vous avez voulu travailler et devenir les égales des hommes, faites-vous plaisir tant que vous continuez d'assumer votre rôle de mère de famille. »

Lorsque nous parlons de nous libérer de nos croyances et de nos représentations, il n'est pas question de rejeter en bloc tout ce que l'on nous a inculqué. Nous ne cherchons pas à vous transformer en ado rebelle, mais plutôt à vous aider à faire le tri et à garder les croyances qui vous sont bénéfiques.

Petit exercice pour sonner l'heure du bilan

Revisitez les messages que vos parents et les adultes qui vous ont accompagné vous ont transmis et remplissez le tableau suivant.

Les croyances qui me viennent de mes parents	Les croyances qui me viennent de mon entourage	Mon avis
Quand on a des enfants, vaut mieux s'arrêter de travailler pour les élever.		
	Quand on veut, on peut...	

Dans la colonne « Mon avis », choisissez ce que vous voulez valider ou invalider. Une fois votre choix fait, entraînez-vous à formuler votre avis.

Par exemple, si vos parents vous ont élevé dans l'idée que « choisir un métier c'est pour la vie » et que cette croyance-là vous bloque pour changer de projet professionnel, vous pourriez écrire : « Aujourd'hui, il y a plein de dispositifs pour se reconvertir. Je peux me former à un autre métier. »

Déléguer et se faire aider

Une des croyances qui perdurent dans le monde des super-héros, c'est qu'il n'est pas possible de demander de l'aide car ce serait avouer sa faiblesse. Et encore, il n'y a vraiment que les X-Men et les Quatre Fantastiques qui acceptent de travailler ensemble quand ils sont vraiment mal pris.

Si vous avez compris qu'il est impossible de tout mener de front, d'être à votre meilleur en toute occasion sans y laisser votre peau, et que vous ne retrouvez pas votre cape en lurex, alors il est temps d'apprendre à déléguer et à solliciter l'aide de votre entourage.

Lorsque nous demandons à nos patients sous pression de quoi ils auraient besoin pour la faire baisser, ce qui revient le plus souvent, c'est : « Il faudrait des journées de 72 heures et encore cela ne suffirait pas. »

D'où vient cette impression de manquer de temps ? Comment le temps pourrait-il remédier à la surcharge, alors que l'on sait que plus on a le temps, plus on le remplit. C'est le fameux mystère des sacoches des femmes. J'ai une petite sacoche, je la remplis bien. J'en prends donc une plus grosse que je vais remplir davantage. C'est sans fin. Il n'y a que la sacoche de Mary Poppins qu'on peut remplir à l'infini sans qu'elle change de taille.

Non, la ressource la plus efficace pour faire baisser la pression, c'est de déléguer ou de se faire aider.

Lorsque nous proposons cette solution, les réponses fusent : « oui mais ça ne se fait pas de demander aux autres, et puis chacun est déjà tellement occupé qu'on ne va pas le déranger », ou « d'ailleurs, mon père me disait qu'il vaut mieux ne compter que sur soi-même, comme ça on ne doit rien à personne ».

Petit exercice pour se faire aider

Et vous, qu'en pensez-vous? Qu'est-ce qui vous empêche de déléguer? Et pourquoi?

Par exemple: «Je suis l'expert du remplissage et du vidage du lave-vaisselle, donc ça ne sera jamais aussi bien fait.» (La ressemblance avec le mari d'une des auteurs serait totalement fortuite.)

Vous trouverez toujours une bonne raison de ne pas déléguer, et notamment celle qui revient invariablement: «De toute façon, vaut mieux que je le fasse, ça ira plus vite», et sa variante: «De toute façon, vaut mieux que je le fasse, ça sera mieux fait.»

Et si vous vous laissiez séduire par l'idée de déléguer? Faites le point en répondant aux questions suivantes:

> Que voulez-vous déléguer?

> Que pouvez-vous déléguer?

> Et à qui voulez-vous déléguer?

Une fois que vous avez identifié la tâche et les personnes-ressources, n'hésitez pas à solliciter les bonnes volontés qui, à moins que vous ne soyez l'incarnation de Cruella ou Voldemort, se feront un plaisir de vous aider si elles le peuvent.

Ne vous arrêtez pas au premier refus, qui peut être lié à un simple manque de disponibilité, revenez à la charge une prochaine fois ou adressez-vous à quelqu'un d'autre!

Attention au «donnant-donnant» qui a tendance à régir les relations interpersonnelles. Souvent je n'ose pas demander d'aide à telle personne car je me dis que je serai dans l'incapacité de lui rendre la pareille.

Nous pensons qu'il serait bon de voir les choses d'un peu plus haut, dans une vision plus collective et systémique. Chaque action positive bénéficie à l'ensemble du système. Si j'aide quelqu'un, il y a de fortes chances que cette personne apporte son aide dès qu'elle le pourra, à moi directement ou à quelqu'un d'autre. Et ainsi de suite. L'idée sous-jacente est qu'en apportant mon aide, je fais germer chez l'autre la graine de l'altruisme et de l'entraide. Ce qui bénéficie aux autres me bénéficie aussi. Ce qui me profite, profite aux autres. Comme nous le verrons plus loin, toutes les études réalisées en psychologie positive convergent pour souligner l'importance de l'entraide comme vecteur de bonheur.

Il nous semble que l'élément essentiel pour accepter de demander de l'aide est de mettre son orgueil dans sa poche et son mouchoir par dessus. C'est avoir l'humilité de penser que nous ne sommes pas tout-puissants et que l'aide de l'autre ne me rabaisse pas et ne remet pas en cause ma valeur. Ai-je le droit d'être imparfait ? Oui ! J'ai même le droit de me tromper.

Se donner le droit à l'erreur

Comme nous l'avons déjà évoqué à l'Étape 2, à force de viser la performance et le « zéro défaut », nous n'osons plus prendre le risque de nous tromper en produisant quelque chose d'imparfait. Nous allons tourner les choses dans notre tête, imaginer toutes les hypothèses, les obstacles et toutes les raisons pour lesquelles nous pourrions échouer.

Phrase à écrire et à coller sur votre réfrigérateur, votre ordinateur ou à mettre dans les rappels de votre téléphone

Fait est mieux que parfait.

La question du droit à l'erreur est récurrente dans le discours de nos clients, quelle que soit leur activité (élèves, salariés, indépendants ou mères au foyer, lesquelles, comme nous l'avons déjà dit, exercent un vrai travail).

Rachid ne veut pas écrire

Rachid est en 3ᵉ année et n'écrit pas du tout. Ou plutôt, il sait écrire mais refuse de le faire.

Quand on lui demande pourquoi, il répond qu'il ne sait pas. Lorsque nous lui demandons ce qu'il aimerait, il répond qu'il aimerait une belle écriture parce qu'il n'aime pas le résultat de la sienne : « Moi je veux qu'elle soit belle. »

Lorsque nous lui demandons : « Et que veut l'enseignante à ton avis ? », il répond : « Elle veut que j'écrive vite. » Lorsque nous lui demandons enfin : « Et que veut ta maman ? », il explique : « Elle veut que j'écrive sans faute. »

Rachid ne peut donc pas remplir son envie de perfection graphique, l'envie de rapidité de l'enseignante et l'envie de perfection orthographique de sa maman. Il a donc choisi de ne rien faire.

L'exemple de Rachid témoigne bien d'une envie générale de performance. Or, nous ne voulons tellement pas prendre le risque de nous tromper et d'échouer que nous ne tentons plus rien de nouveau.

C'est ainsi que nous voyons dans les organisations de travail des équipes entières refaire toujours et encore la même chose. Tout le monde a conscience que cela ne fonctionne pas bien, mais personne n'ose essayer de faire autrement. Cette recherche de la perfection inhibe les esprits les plus pétillants et entrave l'action.

Et si nous donnions son 4 % à notre perfectionnisme dans le travail ? Ce que nous adorons répéter inlassablement, c'est que dans le mot « parfait », il y a une syllabe en trop. Nous vous laissons quelques secondes pour deviner laquelle... Le « par » bien sûr.

Une chose imparfaite faite sera toujours meilleure qu'une chose parfaite qui ne reste que dans votre tête. Le mérite de la chose faite est qu'elle existe et que, de ce fait, elle est perfectible. En résumé, soyez indulgents avec vous-mêmes! Autorisez-vous à prendre de nouveaux chemins et à vous tromper de route. Quand votre machine à penser et à agir est en route, il vous est toujours possible de faire demi-tour.

JE M'AFFIRME AU TRAVAIL

À l'Étape 1, vous avez compris que la pression était encore plus pesante lorsque nous n'arrivions pas à nous affirmer. C'est d'autant plus vrai dans le travail où nous avons souvent la sensation que notre marge de manœuvre est limitée pour différentes raisons : pression économique et sociale, précarité de l'emploi, évaluations constantes, pesanteur administrative, flux d'informations et de tâches continus, etc.

Marilyne, ou fixer des limites pour rester en vie

Marilyne est infirmière. Elle est sous pression au travail. Elle doit faire face à des sollicitations perpétuelles, à des demandes délirantes qui lui font prendre des risques professionnels, comme accepter les prescriptions des médecins faites par téléphone.

Lorsque nous lui demandons pourquoi elle accepte une telle pression et pourquoi elle ne fixe pas des limites pour se préserver et rester dans le cadre du travail, Marilyne fond en larmes.

Sa peur de perdre son emploi est angoissante. Elle ne peut pas « être virée » car elle a un enfant à charge. Pourtant, Marilyne avoue aussi qu'elle trouve un certain confort au quotidien, malgré les contraintes, car elle travaille juste à côté de chez elle et n'a pas de moyen de transport. Dans le cas de Marilyne, c'est cette ambivalence qui rend son affirmation au travail difficile.

Si je pense que je n'ai rien à perdre, il va m'être plus facile de fixer des limites et d'exprimer ce qui ne me convient pas. Si, au contraire, j'ai peur de perdre les bénéfices que mon travail me procure, en dépit des contraintes, alors je vais tourner sept fois ma langue dans ma bouche avant de parler, pour finalement peut-être me taire.

Petit exercice du jeu du pire, du pire du pire, et pire encore

Nous aimons beaucoup ce jeu et l'utilisons régulièrement.

Dans le cas de Marilyne par exemple, elle va devoir imaginer ce qui peut se passer de pire, et mettre dans la balance ce qu'elle pourrait y gagner.

Marilyne s'affirme : «Je n'accepte plus de prendre des prescriptions par téléphone et je le dis au médecin.»

Au pire quoi ? Quel est son risque ? « Le médecin me dit qu'il n'est pas content et pique une crise. Il me dit que c'est lui le chef et que je dois obéir. »

Et au pire du pire du pire ? Que va dire le directeur ? Que vous devez continuer les prescriptions par téléphone ? « Ah non ! C'est formellement interdit, c'est une question de responsabilité pénale. »

Donc, si l'on comprend bien, le directeur va donner raison à Marilyne et ne peut pas la licencier ? « Ah ben oui, c'est vrai ! »

À vous maintenant de vous mettre dans la même situation d'affirmation que Marilyne, et d'imaginer le pire, puis le pire du pire, et pire encore…

Nous sommes souvent enfermés dans des peurs qui se transforment en croyances «rationalisées» mais qui n'ont pas de fondement réel. Lorsque nous déployons, étape après étape, le pire du pire, nous nous rendons alors compte que ce que nous craignions le plus ne va pas arriver ou qu'il n'est pas « aussi » pire que nous le redoutions.

Le pire du pire dans la vie est de perdre la vie au sens littéral du terme. Ne croyez-vous pas que de rester dans une situation, sous pression, qui nous abîme un peu plus chaque jour risque encore plus de nous rendre malades et de nous tuer lentement ?

Ceux qui, comme nous, travaillent en profession libérale savent combien il est parfois difficile de dire non à un client dont l'urgence semble plus importante que celle du client suivant.

Une amie dermatologue nous racontait comment certains patients arrivaient avec toute leur petite famille en espérant ajouter à leur consultation d'un quart d'heure la verrue du petit dernier et l'eczéma du moyen (« tant qu'on y est, le docteur peut bien regarder puisqu'on est là, ça prend pas longtemps »). Pour éviter la pression des rendez-vous qui se décalent, elle a trouvé sa façon de dire non : « Comme vous savez que je n'aime pas le travail mal fait, je vous invite à prendre un autre rendez-vous, j'aurai ainsi le temps d'examiner tranquillement votre enfant. » Une manière douce et directe de refuser de faire porter le retard par les patients suivants.

Ce « comme tu le sais, je n'aime pas le travail mal fait » nous semble être une bonne façon de refuser calmement de prendre en charge l'urgence du collègue.

L'APPROCHE TÊTE CŒUR CORPS

Au fil des années, nous entendons monter les mêmes plaintes d'une charge de travail grandissante et d'un flux d'informations exponentiel que nous avons tous de plus en plus de mal à absorber.

Nous nous sentons souvent submergés. Nous avons l'impression d'avoir une mémoire de poisson rouge et enrageons d'oublier de plus en plus les choses. Notre travail nous prend beaucoup de temps. Nous avons beaucoup trop de tâches à accomplir. Nous avons du mal à organiser et à concilier notre vie professionnelle et notre vie privée. Nous nous sentons stressés au quotidien. Nous nous sentons vidés de notre énergie.

C'est pour mettre fin à l'idée que le travail n'est qu'une question de cerveau et de volonté que nous avons développé une approche globale, concrète et outillée, qui prend en compte le cognitif, l'émotionnel et le somatique, et que nous avons appelée « Tête Cœur Corps ». Cette approche permet à tous de comprendre que les trois axes fonctionnent ensemble afin de prévenir et surmonter les difficultés liées à l'activité et la suractivité.

Je prends soin mon cerveau

Notre cerveau reçoit et traite toutes les informations qui se présentent à lui *via* nos cinq sens. Mais il a une capacité limitée à stocker et traiter l'information, même quand on est un *super cerveau*. Il va donc les trier par priorités.

Que se passe-t-il lorsque nous sommes assaillis par les informations ? Il y a embouteillage. Notre cerveau va essayer de les traiter et va se mettre en sur-régime. C'est la surcharge cognitive.

À l'heure où nous sommes tous hyper-connectés et hyper-sollicités dans le travail (rappelez-vous qu'un salarié est interrompu en moyenne toutes les sept minutes), notre cerveau subit une surcharge d'informations : courriels, Facebook, appels téléphoniques, Twitter, dossiers, lectures professionnelles, tâches à effectuer, organisation de son planning et de celui des autres, etc. À défaut de pouvoir tout traiter, notre cerveau va trier de manière aléatoire les infos, au risque de perdre de l'information utile.

Avec cette surcharge cognitive, il est difficile de hiérarchiser les tâches et les informations. Tout est mis au même niveau et, au bout d'un moment, tout semble insurmontable. Par où commencer ? La mise en œuvre est alors bloquée.

La surcharge cognitive a aussi un autre effet : la fatigue intellectuelle qui peut conduire à l'épuisement. Pour traiter l'information, nous allons dépenser beaucoup d'énergie. À long terme, notre cerveau en surchauffe risque de « péter une coche ».

Pour éviter la surcharge, il est temps de prendre soin de notre cerveau.

Oui, mais comment ?

Il existe un outil que nous affectionnons particulièrement et que nous adorons partager : il s'agit du Mind Mapping.

Mind en anglais signifie « l'esprit » au sens du cerveau qui réfléchit ; *map* veut dire « carte ». Le Mind Mapping est donc ce que nous avons choisi d'appeler « la cartographie du cerveau qui réfléchit ». Ce principe a été théorisé par le psychologue anglais Tony Buzan dans les années 1970. Il consiste à représenter l'information de manière spatiale, visuelle et graphique sur une feuille au format paysage, contrairement à la représentation linéaire en mode portrait, représentation traditionnelle dans l'apprentissage, mais qui ne correspond pas à la structure de notre cerveau.

En effet, notre cerveau n'empile pas les idées les unes au-dessus des autres, comme nous l'avons dit précédemment, mais fonctionne par associations d'idées, créant une arborescence dynamique et simultanée.

Certains disent que ces représentations ressemblent à des arbres, des araignées ou des pieuvres. On parle également de carte mentale, de carte d'organisation d'idées, voire d'heuristique ou de schémas centrés. Notre préférence va au nom d'origine et à la traduction que nous lui en donnons, et que nous adorons dire ainsi : « je fabrique la carte de mon cerveau qui réfléchit ».

Dans nos formations de Pédagogie Positive, un de nos objectifs consiste à rendre ludique, écologique (comprenez « saine ») et efficace notre manière d'apprendre et de travailler. Nous aimons particulièrement le Mind Mapping car c'est un outil « cerveau total ». Qu'entendons-nous par là ?

Notre cerveau est composé de deux hémisphères qui travaillent de concert, mais qui ont chacun leurs spécificités. Pour simplifier, l'hémisphère gauche traite les mots, la logique, le détail, l'analyse, tandis que l'hémisphère droit prend en charge les formes, les couleurs, l'espace, la synthèse. Le Mind Mapping utilise harmonieusement l'ensemble des fonctions de nos deux hémisphères. Il utilise l'espace d'une feuille, des formes, des couleurs, des mots, de la structure, une vision d'ensemble et des petits détails, des images et du mouvement.

C'est un outil qui non seulement respecte le fonctionnement naturel de notre cerveau, mais favorise également la mise en liens de nos idées, d'où une meilleure compréhension. Si nous organisons les informations dans l'espace d'une feuille, nous créons comme des réseaux, des ramifications qui reproduisent la manière dont le cerveau se connecte en permanence.

Dans le travail, la mobilisation conjointe des deux hémisphères permet d'activer à la fois la compréhension et la réalisation. C'est pourquoi le Mind Mapping présente de très nombreux bénéfices.

Il appartient à la famille de ces nouveaux outils qui représentent l'information de façon visuelle. À ce titre, des recherches effectuées par la Wharton School of Business montrent qu'avec des aides visuelles :

- on augmente sa capacité de mémoire ;
- on développe une meilleure compréhension des informations ;
- on acquiert une plus grande autonomie dans l'apprentissage ;
- on augmente son attention et sa concentration ;
- on améliore son esprit de synthèse.

Au-delà d'un aspect pratique, le Mind Mapping procure des sensations positives chez son utilisateur :

- la confiance en soi ;
- une autonomie certaine en matière de réflexion ;
- une aisance nouvelle avec sa mémoire ;
- l'appétit d'apprendre ;
- une plus grande sérénité dans les situations complexes ;
- une argumentation facilitée ;
- un sentiment de maîtrise de son savoir.

Petit exercice de Mind Mapping

> Étape 1 : prenez une feuille vierge non lignée au format paysage qui permet une meilleure vision périphérique et un traitement optimal du balayage binoculaire.

> Étape 2 : placez le sujet principal au centre de la feuille, également appelé le cœur de la carte. Veillez à ce que ce sujet soit le plus précis possible. Par exemple, organisation de ma semaine. Le sujet principal sera écrit dans une forme vaporeuse, comme un petit nuage, ou sera complété par une illustration.

> Étape 3 : tracez les branches autour du cœur pour créer l'arborescence d'idées. On dit que les premières branches, dites principales, qui partent du cœur sont celles qui portent les thèmes, les petites branches suivantes, dites secondaires, portent les idées qui se rapportent au thème. À chaque nouvelle idée une nouvelle branche, qui sera de la longueur du mot qu'elle supporte. Les branches seront le plus horizontales possible pour permettre une bonne lisibilité. L'information doit être traitée rapidement sans avoir besoin ni de tourner la tête ni de tourner la feuille pour lire les informations.

> Étape 4 : écrivez les mots sur les branches, pas au bout et pas dessous non plus. Notre regard est guidé par les lignes et cueille les informations. La branche et le mot constituent une unité d'information indissociable. Le mot doit être le plus lisible possible, gare aux pattes de moucheron que les arbres n'apprécient pas. Dans une Carte, le mot est une idée clé qui ouvre la porte au reste de l'information qui sommeille tranquillement dans notre tête en attendant qu'on la sollicite. Aussi, inutile d'écrire de longues phrases qui nous replaceraient dans un traitement linéaire de l'information. Le mot clé suffit.

> Étape 5 : ajoutez des images. Nul besoin d'être un Van Gogh pour réaliser des petits pictogrammes simples et qui évoquent facilement l'idée pour celui qui réalise sa carte. Il ne s'agit pas d'une illustration pour faire joli. Un pictogramme est aussi important qu'un mot, c'est une information en soi, d'où la célèbre phrase de Confucius : « Une image vaut mille mots. » L'image fait appel à nos émotions et à nos sens, et de ce fait est un formidable vecteur de mémorisation.

> Étape 6 : ajoutez de la couleur sur les branches. La couleur n'a pas qu'une valeur décorative, elle a une valeur esthétique au sens étymologique du terme, ce qui signifie qu'elle procure des sensations. Ce qui nous ramène à nouveau à la mnémonique (une expression qui se place bien dans les soupers mais qui signifie simplement un truc permettant de mieux mémoriser) et à une dimension de plaisir.

À titre d'exemple, nous vous proposons une carte de Mind Mapping qui permet d'organiser et d'avoir une vision globale de sa semaine.

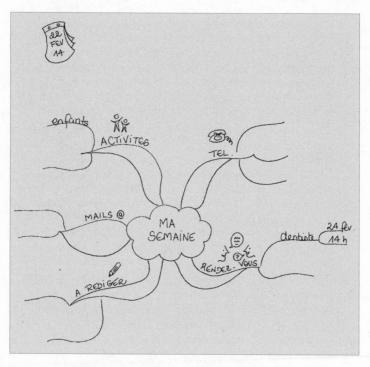

Un exemple de Mind Mapping

Après avoir cajolé notre cerveau, nous allons maintenant câliner nos émotions, en tout cas, apprendre à les apprivoiser pour en faire des alliées au travail.

Je câline mes émotions

Au cours de nos multiples activités, et même si notre tête est bien préparée, il arrive que nos émotions nous jouent des tours, nous bloquent et nous dérangent pour travailler correctement.

Les émotions négatives

Les émotions négatives sont souvent diabolisées dès que nous parlons de travail. Émotions et raison ont longtemps été opposées. Qui n'a jamais entendu ce genre de phrases : « Quand on vient travailler, on doit laisser ses problèmes chez soi », ou : « Ben dis donc, il pogne vite les nerfs ! »

Même les émotions positives sont bannies. Quelqu'un qui fait preuve de « trop » d'enthousiasme dans le travail est souvent jugé comme étant « bizarre ».

C'est comme si nous devions être tout le temps neutres. Des sortes de robots hyper-cortiqués et tièdes en toutes circonstances. C'est ainsi que nous voyons fleurir depuis des années des formations de « gestion des émotions ». Comme s'il était possible de « gérer » des émotions comme on gère son budget. La notion de gestion renvoie à un fonctionnement rationnel qui est à l'opposé du fonctionnement émotionnel. Nous pouvons accueillir, accepter, apprivoiser et nous laisser traverser par nos émotions, mais certainement pas les gérer.

Les personnes qui acceptent d'être traversées par des émotions négatives sans les diaboliser et sans essayer de les repousser sont celles qui ont la meilleure capacité à rebondir. En les déposant correctement et au fur et à mesure, nous n'accumulons pas les dossiers qui fâchent. Cela évite bon nombre de souffrances psychiques et physiques.

Petit exercice pour identifier les sources d'émotions négatives

Sur une journée-type, identifiez tous les moments où vous avez ressenti une émotion ou un sentiment négatif. À quel événement ou situation cela correspondait-il ?

Par exemple, il y a du trafic et je suis en retard pour me rendre au bureau. Quelles sont les émotions qui me traversent ? L'impatience, qui, si l'embouteillage dure trop longtemps, se transforme en exaspération (« c'est fou quand même tous ces gens sur la route, ils ne travaillent pas ou quoi ? »). Laquelle, si la situation perdure, peut se transformer en colère rouge avec gestes et mots que notre éducation ne nous permet pas d'évoquer (« cô…lon », oups on l'a dit). Enfin, la colère va laisser place à la peur (d'être en retard, d'affronter les regards réprobateurs des collègues qui eux étaient à l'heure, etc.). La pression est à son comble.

À vos crayons !

Rendez-vous p. 236 pour identifier les sources d'émotions négatives.

Les émotions positives

Avez-vous remarqué comme la société banalise les émotions positives, considérées comme normales, à l'instar des bons résultats qui sont considérés comme l'issue attendue du travail accompli ?

Or, les émotions, qu'elles soient positives ou négatives, ont la même valeur absolue. C'est notre ressenti subjectif qui attribue une valeur plus importante aux émotions négatives. Cela s'explique par le fait que notre cerveau limbique, siège de diverses émotions comme l'agressivité et la peur, vient nous titiller plus fortement lorsque notre survie est en jeu. Par exemple, si je croise un lion dans la rue, je ne vais pas m'arrêter pour admirer sa magnifique crinière ou me demander ce qu'il peut bien faire là. Je vais prendre mes jambes à mon cou et détaler telle une gazelle apeurée.

Puisque nous avons cette prédisposition à focaliser sur le négatif, il est important, voire nécessaire, de nous entraîner à muscler nos émotions positives. En effet, les émotions positives sont indispensables à la prise de risque dans le travail (et dans la vie). Le plaisir de découvrir, la joie de se sentir penser, la fierté de la réussite, la confiance en soi, la satisfaction d'être un élément utile dans un collectif de travail, la jubilation de vivre des choses agréables ensemble sont autant d'émotions que nous devons faire émerger pour en faire le moteur de notre activité. Grâce à tout cela, nous ne nous laissons pas emporter par l'avalanche de la négativité au travail et dans la vie de façon plus générale.

Petit exercice pour se remotiver en période morose

À la fin de chaque journée, ou en milieu en période de crise, nous vous invitons à dresser un compte rendu positif des heures écoulées, même si l'impression dominante est que vous avez passé une journée particulièrement éprouvante.

Par exemple :

> Je suis sorti de chez moi et un petit rayon de soleil m'a chauffé le bout du nez.

> Je suis arrivé à la station d'autobus et un enfant m'a souri, c'était joli. Je lui ai souri en retour.

> L'autobus est arrivé à l'heure (c'est une joke☺)

> Malgré la pile de dossiers qui m'attendaient sur le bureau, le premier coup de fil d'un client, satisfait, m'a boosté.

> Etc.

Vous avez compris le principe? Allez chercher les microdétails positifs qui jalonnent votre journée.

Cet exercice peut paraître niaiseux et surtout fastidieux mais ne nous y trompons pas, notre cerveau n'est pas de cet avis. Plus nous formons des connexions positives, plus nous repassons sur ces connexions, plus nous transformons notre structure neuronale de manière positive. Nous aurons donc plus de ressources pour faire face aux émotions négatives qui ne manqueront pas de se rappeler à notre « bon » souvenir.

Je prends soin de mon corps

Parce que mon corps n'est pas seulement le taxi de mon cerveau, il est primordial que je lui fasse du bien, si je veux qu'il m'aide à travailler.

Nous connaissons tous l'expression: «Un esprit sain dans un corps sain», mais en faisons-nous vraiment quelque chose?

Nous sommes toujours émerveillées de constater à quel point le corps est une mécanique parfaite, complexe et tellement fragile aussi. Cette « machine » fonctionne tellement bien de façon autonome que, la plupart du temps, nous n'avons pas conscience des efforts qu'elle fait pour nous maintenir en vie. Et pourtant, notre corps, pour bien se mettre au travail, aura des besoins spécifiques.

Oxygéner son cerveau

Pour fonctionner au maximum de ses capacités, notre cerveau a besoin d'air, et plus précisément d'oxygène. L'oxygène est un élément naturel qui fait des miracles sur le cerveau et l'ensemble du corps. Le cerveau consomme 20 % de la ration globale du corps en oxygène à lui seul, alors qu'il ne pèse que 2 % du poids de notre corps !

Il existe une source d'approvisionnement en oxygène très simple et encore gratuite à ce jour : l'air extérieur.

Lorsque nous interrogeons nos clients sur leur environnement de travail, nous remarquons que peu d'entre eux pensent à aérer la pièce avant de se mettre au travail.

Nous vous conseillons de le faire toutes les demi-heures, à défaut de laisser la fenêtre tout le temps ouverte en hiver. Pour ceux qui travaillent au 72e étage d'une tour, obligez-vous à descendre cinq minutes toutes les deux heures, ou à vous munir d'une bouteille d'oxygène à inhaler si vous êtes menottés au pied de votre bureau.

Boire de l'eau
(sans alcool et sans sucre de préférence)

Partons en voyage au centre du cerveau : pour faire simple, les neurones transmettent les informations grâce à un flux électrochimique. Mais laissons la chimie de côté pour nous intéresser à l'électricité et faisons un petit effort pour nous rappeler nos cours de sciences sur l'électricité. Quel est l'un des meilleurs conducteurs de l'électricité ? C'est l'eau bien sûr !

Boire régulièrement de l'eau permet donc de relancer la fabrique à idées, la machine à penser. Si vous constatez que vous avez tout à coup plus de mal à vous concentrer et à réfléchir, pensez à boire un peu d'eau. On a dit de l'eau et pas des mojitos.

Manger, c'est bon pour penser

Si manger est bon pour penser, tout dépend quand même de ce que nous mangeons. Le cerveau a besoin d'une alimentation spécifique pour l'aider à réfléchir, structurer et mémoriser les informations.

Ce que nous comprenons aisément pour les champions devient beaucoup moins évident dès lors que nous abordons l'effort intellectuel. Or, notre cerveau fait partie intégrante de notre corps et, à ce titre, il mérite le même soin.

Voici quelques rappels et conseils pour bien garnir vos assiettes :

- Les vitamines indispensables au bon fonctionnement des cellules de notre cerveau, et notamment les vitamines du groupe B, se trouvent dans les céréales complètes, la banane, les fruits de mer et les épinards.
- Les oméga-3 que l'on retrouve dans le poisson gras (maquereau, sardine et saumon) sont des éléments indispensables à la construction des neurones, de la même manière que les huiles végétales, de préférence noix ou colza (mais pas l'huile de palme, dommage pour la pâte à tartiner au chocolat dont le nom commence par *nu* et se termine par *tella*).
- Le cerveau est également un gros consommateur de sucres rapides, mais il sera conseillé de consommer du miel plutôt que tout autre sucre raffiné ou sucrerie qui a un effet néfaste sur la concentration notamment. L'ingestion de sucreries avant de travailler entraîne une surproduction d'insuline qui elle-même provoque une hypoglycémie au bout d'un quart d'heure. Donc les petits chocolats offerts par les collègues ou les

clients ne sont pas vos amis. Ce qui n'est pas bon pour vos abdos n'est pas bon pour votre cerveau !

Dormir pour laisser son cerveau faire son travail

Pendant les phases de sommeil, le cerveau active les connexions neuronales et favorise la mémorisation.

Les besoins quantitatifs de sommeil varient d'une personne à l'autre, et sont fonction de l'âge. Il y a des gros dormeurs et des petits dormeurs. Néanmoins, même si vous n'êtes pas une marmotte, gardez en tête qu'un minimum de sept ou huit heures est nécessaire pour récupérer, et permettre au cerveau de se régénérer harmonieusement.

Nous rencontrons de plus en plus d'adultes épuisés. N'avez-vous jamais pris en flagrant délit votre collègue endormi sur son bureau ? Les conséquences de la fatigue ne sont pas négligeables et sont toujours dommageables pour l'activité intellectuelle. Une personne fatiguée aura beaucoup de difficultés à mobiliser son attention et sa concentration, à mémoriser, à soutenir un effort dans la durée. Sans parler du fait qu'une personne fatiguée aura beaucoup de mal à apprivoiser ses émotions. Irritabilité, colère et larmes sont alors au rendez-vous, bloquent le travail et compliquent les relations.

L'arrivée des nouvelles technologies a accentué le phénomène de fatigue. La majorité des adultes utilisent leur téléphone cellulaire jusqu'à une heure très tardive. Il n'est pas rare qu'à minuit un adulte réponde à ses courriels professionnels dans le confort ouaté de sa couette. La plupart nous avouent garder leur téléphone allumé toute la nuit sous leur oreiller. Il y a un fort risque qu'ils puissent être réveillés plusieurs fois par la réception d'un message ! Inquiétant, non ? C'est pourtant une réalité...

Parlons aussi de ceux, parfois les mêmes, qui s'endorment devant la télé, se réveillent sur le sofa à 2 heures du matin et migrent douloureusement vers leur lit (sans se brosser les dents). Inutile de préciser à quel point tout cela est néfaste pour la qualité du sommeil.

Concernant les différents points précités, notre position est catégorique : si vous voulez préserver votre sommeil, éteignez votre cellulaire et votre ordinateur au moins une demi-heure avant d'aller vous coucher dans votre lit.

Toutefois, même en respectant ces conseils, vous n'êtes pas à l'abri de « Pressureman », le monstre de la pression, qui peut s'emparer de votre cerveau, au moment du coucher, empêchant tout endormissement, ou vers 3 ou 4 heures du matin, vous permettant de voir le jour se lever. Vous ruminez, passez en revue votre journée et tous ses points négatifs, vous anticipez votre journée du lendemain, vous avez peur d'oublier pendant la nuit vos nouvelles idées géniales.

Avez-vous remarqué que c'est souvent au moment du coucher qu'un tas d'idées survient ? Nous vous invitons à investir dans un petit carnet qui ne doit jamais vous quitter et vous permettra de noter toutes vos idées même les plus saugrenues. De toute façon, à 3 heures du matin, elles ne peuvent être qu'extraordinaires. Cela vous permettra surtout de vous vider la tête et de pouvoir vous rendormir paisiblement.

Si vous faites partie des parents qui se réveillent plusieurs fois par nuit pour aller remettre une tétine, donner un verre d'eau ou calmer les cauchemars de leur petit ange (ou démon), nous compatissons pour l'avoir vécu. Essayez de vous accorder une microsieste dans la journée. Si vous êtes dans un bureau à aire ouverte, allez vous réfugier dans votre voiture ou dans les toilettes mais vous risquez d'être dérangés rapidement par d'autres collègues qui ont la même idée ou par des bruits incommodants.

N.B.: Nous sommes toujours surprises et effarées par le nombre incroyable de parents, parmi nos clients et dans notre entourage, qui acceptent les invasions nocturnes des petits pervers polymorphes comme les appelait Sigmund Freud, en d'autres termes leurs enfants, passé les phases normales d'allaitement, de maladies ou réassurance. Ces parents-là sont épuisés mais ne semblent pas faire le lien entre aliens et mauvaise qualité de sommeil. Nous disons cela sans jugement et avec beaucoup de bienveillance. Si vous faites partie de ces parents, allez puiser en vous la force de résister et de fixer les limites nécessaires. Nous vous donnons le truc qui a marché pour nous et pour beaucoup d'autres puisque nous l'avons partagé avec grand plaisir. Connectez-vous à la conviction suivante : mon sommeil est précieux et vital. Un bon parent est avant tout un parent reposé et paisible. J'ai besoin de dormir pour être capable de vivre harmonieusement ma journée de demain. Un parent exténué est un parent qui finit irrité, agacé, déprimé, divorcé et/ou licencié (OK, on exagère un peu, quoique…).

Il existe des consultations spécialisées[10] sur la question des troubles du sommeil chez les bébés, quelles qu'en soient les raisons. Mieux vaut une consultation précoce pour s'entendre dire que tout va bien, plutôt que de laisser s'installer des troubles qui risquent de devenir chroniques.

Il est bien dommage d'observer que, malgré de nombreuses études sur les bienfaits de la microsieste, celle-ci ne reste qu'un sujet de reportage pour les journaux télévisés.

---

10. Par exemple sur le site : www.prosom.org

Saviez-vous qu'en Chine, le droit à la sieste au travail est stipulé dans l'article 49 de la Constitution?

Certaines entreprises japonaises imposent même cette pratique à leurs salariés car elles savent bien qu'une personne qui est réveillée depuis 15 heures a autant de réflexes qu'une personne ayant 0,5 g d'alcool dans le sang (surtout si l'on prend en compte les verres de saké dont ils sont très friands).

Et si vous vous mettiez à la sieste express?

La sieste express (ou *power nap*, terme inventé par James Maas, psychologue américain), est une sieste d'une courte durée, entre dix et vingt minutes, pour ne pas entrer dans le sommeil profond. Son objectif est de ré-énergiser rapidement le siesteur.

Les entreprises américaines sont emballées par cette technique car elle s'intègre très bien dans les journées de travail les plus chargées. Pas fous non plus, les boss américains ont bien compris que les bénéfices de cette pratique permettaient une augmentation de la productivité. Quels sont ces bénéfices?

- Une récupération du manque de sommeil nocturne.
- Une baisse du stress.
- Une meilleure réactivité.
- Un meilleur équilibre émotionnel.
- Une augmentation des facultés cognitives (concentration, mémorisation).

Mode d'emploi pour *une sieste express* au travail

- Trouvez le bon endroit : si votre entreprise encourage la sieste éclair de début d'après-midi, une salle de sieste existe peut-être. Si vous êtes dans un bureau fermé, verrouillez la porte et mettez une pancarte « *Ne pas déranger* » sur la poignée. Sinon, comme nous l'avons évoqué plus haut, il vous reste l'option voiture ou toilettes.

- Éteignez votre téléphone et toutes sources de distractions sonores et visuelles. Si vous travaillez dans un environnement bruyant, mettez vos écouteurs et syntonisez une musique relaxante.

- Fermez les stores pour vous plonger dans la pénombre.

- Buvez de la caféine juste avant votre sieste : cela peut paraître étrange, la caféine étant un stimulant, mais elle ne fera pas effet immédiatement. Il faut quarante-cinq minutes à la caféine pour être absorbée. Comme votre sieste n'excédera pas vingt minutes, la caféine commencera à faire effet dès votre réveil. Énergie garantie à la clé ! En revanche, oubliez la caféine s'il vous prend l'envie de siester en fin d'après-midi, car dans ce cas, il y aurait risque d'insomnie. Bon à savoir : la caféine se trouve bien évidemment dans le café mais aussi dans le thé vert et les boissons énergisantes (évitez cependant celles qui contiennent de la bile de taureau !).

- Programmez l'alarme de votre réveil : la durée recommandée pour ne pas se sentir vaseux pour le reste de la journée se situe entre dix et vingt minutes. Si vous faites partie de ceux qui abusent du bouton « snooze », posez votre réveil à l'autre bout de la pièce, vous serez alors obligé de vous lever.

- Asseyez-vous et relaxez-vous, c'est parti ! Si vous avez des difficultés à vous endormir, choisissez une musique de relaxation, d'hypnose ou de méditation. Il en existe des tas, téléchargeables gratuitement et légalement sur le Net. Commencez toujours par la respiration. Avec un entraînement régulier, vous arriverez à vous endormir de plus en plus facilement.
- Levez-vous dès que l'alarme a sonné : cette dernière étape est très importante si vous voulez retrouver votre vitalité immédiatement. Étirez-vous énergiquement, frottez votre visage avec vos mains (attention au maquillage), allez respirer de l'air frais et bougez de façon dynamique quelques instants.
- Vous êtes frais et dispos pour attaquer le reste de votre journée.

Si la sieste vous semble impossible ou qu'elle est totalement prohibée (comme l'alcool) dans le règlement intérieur de votre entreprise, vous pouvez opter pour la relaxation.

Se relaxer au travail

Se relaxer au travail ? Vous voulez rire ? Le travail, c'est du sérieux. Et pourtant, nous, ce qu'on en dit, c'est que pour bien travailler et utiliser son potentiel au maximum, il est nécessaire de vraiment prendre soin de son corps et de sa chimie interne.

Les quelques pistes qui suivent vont vous paraître tellement simples que vous n'allez pas en croire vos yeux. Et pourtant… même Barack et Michelle les utilisent. Même Stephen les utilise… On n'en sait rien… En tout cas, ils devraient.

- **Penser à respirer.** On n'a pas dit humer l'air. Pas la petite respiration haute qui nous permet de rester en vie, mais la grosse respiration abdominale qui nous permet de nous sentir vivants. Rappelez-vous la bouteille d'oxygène. Si vous ne savez pas comment faire, revenez à l'exercice précédent.
- **Rire.** Oui, mais pourquoi? Parce que ça aide à la détente et à l'oxygénation. Rire est un antidépresseur naturel et gratuit sans aucun effet secondaire indésirable. Il fait monter le taux de sérotonine et d'endorphine, les hormones du bien-être.

Va pour rire, mais comment? Nous parlons, ici, du rire sans raison, sans ironie (rire de l'autre ou se moquer). Le cerveau ne fait pas la différence entre un vrai rire induit par une situation comique et un rire mécanique auto-induit. Nous pouvons tout à fait concevoir qu'il vous est difficile de rire au bureau, quoique. Néanmoins, profitez des moments où vous êtes seuls (dans votre salle de bains, aux toilettes, dans votre voiture) pour rire à gorge déployée de manière artificielle. On sait: ça peut paraître bizarre et ridicule, mais si vous arrêtez le censeur intérieur, alors vous ressentirez tous les bienfaits de cette pratique.

Nous avons validé et sur-validé les bienfaits de cette pratique à titre personnel et associatif. Isabelle a créé, en 2003, le Club de rire d'Enghien-les-Bains (en France), dont elle est présidente et animatrice depuis plus de dix ans. Tous les lundis soir, une vingtaine de rieurs, tous âges, milieux sociaux et sexes confondus, se retrouvent pendant une heure et demie pour rire ensemble et apprendre à se détendre. Outre la détente, le rire est un excellent vecteur de lien social. Si je ris avec mon voisin, collègue, les rapports se détendent automatiquement. La pression chute et nous permet d'aborder les conflits la tête plus froide. Nous avons d'ailleurs intégré cette pratique dans toutes nos formations et dans toutes nos interventions en entreprise en un format de vingt minutes, comprenant une mini-relaxation finale. De quoi remettre toutes les bonnes énergies en route.

- **Bouger.** Lorsque nous parlons de la place du corps dans le travail, nous pouvons aller encore plus loin dans la démonstration de l'utilité d'intégrer le corps dans son activité. La prise en compte des besoins physiques n'est pas seulement une affaire de détente et de libération d'énergie. Le corps est un vecteur d'apprentissage en lui-même. Il participe pleinement aux activités intellectuelles. Utiliser le corps pour travailler, c'est favoriser le développement de nos fonctions cognitives. Rappelez-vous que nous apprenons avec nos cinq sens et les organes qui y sont associés. Nous ne sommes pas qu'un cerveau avec deux portes d'entrée uniques : les yeux et les oreilles.

Alors, il ne vous reste plus qu'à bouger. Levez-vous régulièrement, ne restez pas assis trois heures en réunion sans aller arpenter les couloirs en tous sens. Secouez les bras et les jambes régulièrement. Et passez le message à vos collègues, vous verrez, ils seront ravis aussi.

Soyez inventifs, vous trouverez certainement plusieurs façons de bouger votre corps même si vous n'êtes pas sur le *plancher de danse*. D'ailleurs, à l'heure où nous écrivons ces lignes, nous sommes en retraite d'écriture dans le sud de la France. Nous vous laissons quelques instants, le temps d'aller faire une petite marche dans un magnifique village fleuri et coloré. À tout de suite !

Coup de pouce : Faites le ménage !

De la même manière qu'il est plus difficile de travailler lorsque notre tête est pleine de pensées polluantes, il est difficile de travailler lorsque notre champ de vision est encombré : dossiers qui traînent, crayons qui ne fonctionnent plus et s'accumulent dans un pot, bibelots en tous genres, etc. Notre environnement est souvent à l'image de ce qui se passe dans notre tête (encombrement, surcharge).

Et si vous faisiez du ménage ?

Prenons l'exemple d'Audrey, qui n'est pas franchement réputée pour être une fée du logis. Elle avoue elle-même être très désorganisée. Cependant, régulièrement, elle est prise d'une petite frénésie de rangement. Elle classe les factures, range les dossiers, jette les « inutilités » et se lance dans son activité préférée : trier et désengorger toutes les boîtes courriels de la Fabrique à Bonheurs. Isabelle dit que la joie qui se lit sur son visage est à la mesure de la libération mentale procurée.

On nous oppose souvent un « j'ai pas le temps ! », mais ce temps « perdu » est en fait du temps gagné car vous travaillerez plus vite et plus efficacement après.

Essayez et n'abandonnez pas au premier échec.

D'ailleurs, par quoi allez-vous commencer ?

Quand on entend les gens parler de vivre ou de travailler autrement, il y a souvent le même mythe qui revient. Celui de l'eldorado, cet « autrement » qui est forcément un ailleurs.

Lorsque l'on n'en peut plus de ce quotidien, il nous prend une envie de tout envoyer balader et d'aller ouvrir un gîte sur la côte nord. C'est bien connu, il n'y a pas de pression à la campagne, les petits oiseaux chantent, les cerisiers bourgeonnent, l'air est plus pur et la vie plus douce. Qui n'en a jamais eu assez de la pression des grandes villes, de la vie à un rythme effréné, de ne pas se sentir vraiment soi-même ? Mais une fois ce rêve d'un « ailleurs » réalisé, on se réveille et on commence à faire le compte des machines à laver pour les draps des hôtes, du nombre de muffins à préparer tous les matins et du vent incessant qui commence à nous user les nerfs.

Eh oui ! Travailler autrement ne signifie pas forcément partir loin et changer radicalement de cadre, mais bien plus changer la manière dont on regarde et dont on appréhende son activité. La manière dont on se regarde et dont on donne du sens à qui l'on est et à ce que l'on fait.

....

Mes petites soupapes du quotidien

* **Cahiers de coloriages anti-stress** *pour vous détendre pendant les réunions interminables ou pour faire une pause (il en existe tout un éventail en librairie)*

* **Les 200 astuces de Maman travaille** *de Marlène Schiappa, Éditions Leduc.S (2013), parce que c'est une mine de bons conseils pour être une maman active et heureuse*

* **Wake up !**, *le dernier livre de Christine Lewicki, Eyrolles (2014), parce qu'il donne envie d'activer sa brillance et d'arrêter de vivre sa vie à moitié endormi*

* **La Crise**, *un film de Coline Serreau avec Vincent Lindon, Michèle Laroque, Patrick Timsit et Zabou Breitman, pour rire de cette foutue crise, toujours d'actualité*

* **Des hommes d'affaires**, *un film de John Wells avec Tommy-Lee Jones et Ben Affleck, pour comprendre que remettre du sens dans le travail et collaborer permet de développer de l'ingéniosité*

....

MES RÉUSSITES DANS LA TROISIÈME ÉTAPE

✓ J'ai pris conscience que la pression est renforcée par l'environnement économique et social.

✓ J'ai aussi réalisé que le burn-out professionnel ou maternel ne concerne pas que les autres.

✓ Je vais veiller à tous les petits signes avant-coureurs.

✓ Je garde mon costume de super-héros uniquement pour les soirées déguisées.

✓ Je me libère des croyances et des représentations qui ne me font pas du bien.

✓ J'accepte de déléguer et de me faire aider.

✓ Je me donne et je donne le droit à l'erreur.

✓ Je m'affirme au travail.

✓ Je prends soin de mon cerveau.

✓ Je câline mes émotions.

✓ Je réintègre mon corps, qui n'est pas seulement le taxi de mon cerveau.

✓ J'ai le droit (et même le devoir) de rire, de bouger et même de faire une petite sieste.

Bravo !

ÉTAPE 4

ÊTRE AUTHENTIQUE
(MÊME AVEC DES FAUSSES DENTS)
ET LAISSER SON EMPREINTE

« Si vous vous efforcez tout le temps d'être normal, vous ne saurez jamais à quel point vous pouvez être merveilleux. »

MAYA ANGELOU

QUI N'A JAMAIS... pensé : « Ah ! si seulement je pouvais repartir à zéro dans un autre pays, un endroit où personne ne me connaîtrait, où je pourrais être pleinement et librement moi-même ! Faire ce qui me tient à cœur, vivre selon mes valeurs ? »

Qui n'a jamais voulu faire quelque chose qui marque les esprits ? Laisser son empreinte dans le monde autrement que sur le sable mouillé ?

JE PRENDS CONSCIENCE

Si vous en êtes à ce stade, c'est que vous avez commencé à mettre en œuvre les étapes précédentes. Notre cerveau a besoin de plusieurs passages pour assimiler les informations. Comme nous le répétons dans nos formations de Pédagogie Positive : « Transformer l'information, c'est se l'approprier vraiment. » Cette étape va vous permettre d'approfondir votre réflexion sur des sujets déjà abordés précédemment en les traitant sous un autre angle. Nous allons essayer de vous accompagner dans ce voyage plus intime et plus profond, celui de notre « moi authentique ».

ÊTRE AUTHENTIQUE, C'EST QUOI ?

Être authentique, c'est être honnête avec soi-même en reconnaissant ses qualités et ses défauts et en les acceptant.

Être authentique, c'est s'accepter tel que l'on est sans vouloir se conformer à une image idéale, sans vouloir se limiter pour ne pas paraître trop arrogant. C'est accepter d'en décevoir certains par moments sans remettre en cause notre valeur profonde. C'est être connecté à soi-même.

Oui mais de qui parle-t-on ?

Dans notre éducation et au cours de notre développement, on nous a principalement enseigné à nous comparer aux autres pour mesurer notre valeur plutôt qu'à nous autoévaluer. Être authentique, c'est donc cesser d'être toujours en comparaison avec une norme prédéterminée et de nous conformer systématiquement aux attentes générales. C'est être en accord avec nos valeurs et agir en fonction. Nourrir nos passions pour garder l'inspiration et la créativité. C'est mettre en œuvre nos talents propres et ne pas avoir peur de les montrer. Enfin, c'est appliquer la phrase souvent entendue: « Maintenant il faut vraiment que j'arrête de me mentir, de me cacher derrière mon petit doigt » et prendre ses responsabilités.

Être authentique, c'est enfin se libérer de la pression que nous nous mettons nous-mêmes au-delà de celle que nous subissons. C'est être nous-mêmes sans peur et sans compromission.

QUE GAGNE-T-ON À ÊTRE AUTHENTIQUE ?

C'est simple, on gagne le gros lot ! Car être authentique, c'est avant tout :

- se libérer de la pression sociétale ;
- se libérer des petites voix qui nous ont freinés ou rendus esclaves d'une fausse image de nous-mêmes ;
- commencer à entendre sa propre voix ;
- être capable d'évaluer sa propre valeur sans le regard des autres et sans attendre le « c'est bien/c'est pas bien » de notre enfance ;
- agir et redonner du sens à sa vie ;
- s'autoriser à vivre ses rêves (petits ou grands), quelle qu'en soit la nature ;
- augmenter notre ressenti de bien-être.

Être authentique, c'est accepter de laisser tomber le masque de celui ou celle que vous imaginez devoir être pour montrer celui que vous êtes vraiment, que ça plaise ou non : avec vos qualités et vos défauts, vos goûts, vos valeurs, vos forces et vos faiblesses… tout ce qui fait que vous êtes vous-même. C'est l'expérience que Marjorie a faite.

Marjorie, 36 ans, célib-à-terre

Marjorie vient nous consulter car elle ne parvient pas à rencontrer « quelqu'un de bien ». Elle se met une grosse pression à cause de cette sacrée horloge biologique. Son entourage ne l'aide pas vraiment à se détendre. Son célibat est devenu le sujet central des repas de famille. Il y a les amies et les collègues en couple qui l'invitent moins à souper car elle devient « dangereuse » et trop décalée par rapport aux conversations de mères de famille. Mais il y a également les bonnes copines qui ont toujours un gars « super » à lui présenter.

Marjorie s'est aussi inscrite sur des sites de rencontres mais elle est très déçue du résultat : « J'comprends pas ! Il y a toujours un décalage entre les échanges virtuels et la réalité du premier rendez-vous. » Pourtant, elle suit les conseils de son entourage et apporte une attention particulière à sa présentation. Elle choisit une photo qui la met en valeur, affiche ses qualités, trouve des centres d'intérêt qui sont susceptibles de plaire aux hommes. Lorsqu'elle commence à échanger avec quelqu'un, elle épouse ses goûts dès le début même s'ils ne correspondent pas vraiment aux siens. « Oh, vous savez, moi, une de mes grandes qualités est de m'adapter à toutes les situations. Je suis un vrai caméléon ! »

Qu'en dit le psy ? *Apparemment, Marjorie ne fait pas du tout le lien entre le manque d'authenticité dans sa démarche de rencontre et ses recherches de partenaires infructueuses. Nous l'amenons à réfléchir à la question suivante : si vous n'aimez pas le chocolat, achèterez-vous des biscuits au chocolat pour les manger ? Bah non !*

Alors pourquoi aller dire que vous aimez les spectacles de danse contemporaine si ça vous ennuie tant que ça ? Vous vous condamnez dès le départ à vous ennuyer ferme avec un partenaire qui finira par vous démasquer et vous le reprocher. Et si vous montrez dès le début qui vous êtes vraiment ? Quel est le risque ? « Que personne ne s'intéresse à moi ! » Et si vous imaginiez l'inverse ? Si vous montrez qui vous êtes vraiment, vous pouvez être sûre alors que la personne qui s'intéressera à vous le fera en toute connaissance de cause et ne pourra pas vous reprocher d'être quelqu'un d'autre. Et vous n'aurez pas à endurer des soupers plates où dès le début vous rêverez de rentrer chez vous pour voir la fin de Grey's Anatomy (dédicace spéciale).

L'authenticité dans la rencontre vaut toujours le coup. Elle permet de prendre la voie express des sentiments sans faux-semblants et sans sortie de route.

Petit exercice de réflexion

Dans toutes vos rencontres (professionnelles, amicales, du troisième type…), pensez-vous être capable de raconter votre propre vie, avec vos moments de gloire, vos réussites et vos échecs et vos grands moments de solitude ? Pensez-vous être capable d'aller dans la profondeur et de montrer votre vulnérabilité ?

Si vous pensez ne pas être capable de le faire avec certaines personnes, demandez-vous : suis-je vraiment à l'aise avec cette personne ? Dois-je vraiment m'investir plus avant dans cette relation, au-delà de ce qui s'appelle la politesse ?

Pendant la rédaction de notre précédent livre, nous étions toutes les deux en week-end d'écriture à Cap-Ferret. Un soir, nous nous sommes rendues dans un petit restaurant pour y déguster quelques fruits de mer (c'est notre péché mignon) au coucher du soleil. Nous avons eu la joie de discuter avec nos voisins de table, un couple de retraités sympathiques et pétillants. À l'heure où nous évoquons l'importance de l'authenticité, nous ne pouvons pas ne pas partager avec vous l'histoire de Serge.

Serge, 63 ans, retraité en retrait (des autres, enfin pas de tous)

« Et pourtant je savais…

Ayant déménagé dans l'ouest de la France pour couler une retraite paisible, j'ai eu le plaisir (au début) de retrouver un chum d'adolescence. Il me présenta au cours d'un souper la "crème" de ses relations : acteurs de seconds rôles, riches retraités et bobos. Ancien du Club Med, je fis tout ce qui était possible dès la première rencontre pour séduire et faire rire…

Puis mon épouse et moi-même avons renvoyé la balle en les recevant à la maison. Par la suite, nous fûmes de nombreuses fois invités par les uns et les autres. À ces occasions, les convives parlaient opéra, musique classique et cinéma d'art et d'essai, parce que ça fait toujours bien. Ils bannissaient de leurs conversations les comédies musicales, les variétés, les films à succès populaires, les événements sportifs, les séries télévisées, alors que mon épouse et moi-même aimons aussi la culture dite "populaire". Et pour couronner le tout, ils disaient du mal des absents.

Avec une ironie modérée et polie vis-à-vis de mon chum, je ne loupais aucune occasion de les charrier sur leurs soi-disant passions et médisances. Je recevais rarement des répliques spirituelles et humoristiques qui m'auraient au moins apporté la jubilation de la joute verbale. Ce théâtre des faux-semblants, des non-dits et des médisances venait heurter de plus en plus mes valeurs profondes, à savoir l'honnêteté, la franchise, le courage et la bienveillance. J'eus de plus en plus de mal à accepter ces invitations.

Et j'ai surtout réalisé qu'à part ces soupers mondains et superficiels, ils n'avaient pas d'autres liens. Ces rencontres, théâtres d'illusions passées, s'avéraient en majorité creuses. En fait, les convives étaient tous angoissés soit par l'âge, soit par le déclin de leur pâle célébrité du passé.

Et puis un jour, je me suis rappelé que je savais... Je savais que le plus dur face aux conventions, aux pressions, aux contraintes mondaines et rapports humains, c'était de prononcer ce fameux mot de la langue française, le plus difficile à dire... non ! Et enfin, j'ai su le dire. C'est à partir de ce jour-là que j'ai continué à fréquenter les rares qui partageaient les mêmes valeurs et centres d'intérêt que moi. Quel plaisir ! »

Qu'en dit le psy ? *Les mots de Serge sont venus résonner (raisonner ?) dans nos têtes et nous ont rappelé les soupers mémorables et les invitations « pour faire plaisir » que nous nous étions imposés pendant plusieurs années, par convention et par illusion de créer du lien social. Un jour aussi, nous avons eu le courage de dire stop à cette pression sociale. Nous avons laissé tomber les soupers de représentation (ça tombe bien, nous ne sommes pas la reine d'Angleterre) et sommes revenues à des repas sympas entre amis. Nous avons également tous les jours la joie de faire de nouvelles rencontres dont le trait commun est l'authenticité, indépendamment de tout statut social.*

L'authenticité n'est pas un état. C'est un voyage. Un voyage vers soi-même. Chercher à être authentique nous donne l'opportunité de mieux nous connaître et de construire ou reconstruire notre confiance et notre estime de nous-mêmes.

Comme nous l'avons vu aux étapes précédentes, le conditionnement social nous pousse à nous conformer et à être de bons petits soldats. Le conformisme est le contraire de l'authenticité. Dans cette mise en conformité, notre voix (voie) s'éteint, emportant dans son silence notre affirmation et notre confiance en nous-mêmes. C'est exactement à cet endroit que la pression se fait ressentir. Dans l'écart entre qui nous sommes vraiment et ce que nous faisons et donnons à voir. Plus le décalage est grand, plus la pression nous vide de notre énergie. Nous perdons de vue nos valeurs, nos passions et nos talents. Petit à petit, nous nous coupons de notre capacité à agir et à laisser notre empreinte.

Si ces mots résonnent en vous, il est temps de passer à l'action.

JE PASSE À L'ACTION

C'est à l'endroit où nous faisons coïncider nos valeurs, nos passions et nos talents que nous ouvrons un espace où notre vie prend du sens. Un espace dans lequel nous nous débarrassons de la pression. Ce nouvel espace est celui de notre « moi authentique ». C'est ce moi authentique qui fait de chacun d'entre nous un être unique.

Personne sur terre n'a le même ADN. Nous n'existons qu'en un seul exemplaire et, à ce titre, nous avons le devoir de ne pas gâcher le merveilleux qui est en nous. Si nous ne le faisons pas pour nous, nous avons, néanmoins, la responsabilité d'apporter notre contribution à l'humanité et de laisser à notre niveau, petit ou grand, notre empreinte.

JE ME RECONNECTE À MES VALEURS ET JE LES INCARNE DANS MA VIE

Si vous regardez dans tous les bons dictionnaires ou sur Wikipédia, une valeur morale est définie comme une idée qui guide le jugement moral des individus et des sociétés. Certaines de ces valeurs morales se veulent universelles : le don de soi, la tolérance, le respect et la loyauté sont des exemples de valeurs morales.

Comme nous l'avons vu précédemment pour les croyances, il importe à chacun de faire le tri parmi les valeurs qui nous ont été inculquées. Parfois, nous ne savons pas vraiment quelles valeurs profondes nous guident.

Pour les identifier, il suffit de réfléchir aux valeurs qui, pour nous, sont absolument non négociables. Si ma valeur morale la plus importante est la justice, je ne pourrais pas me dire qu'il existe une justice à géométrie variable. Ce qui est juste est juste, ce qui est injuste est injuste dans toutes les circonstances.

Petit exercice pour découvrir ses héros

Pour chaque catégorie listée ci-dessous, citez une personne qui vous inspire et citez ses qualités qui vous touchent. Dites pourquoi.

Il se peut que toutes les catégories ne vous inspirent pas. La politique, en ce moment, est peut-être moins inspirante...

> politique
> spirituel ou religieux
> sportif
> écrivain
> famille
> ami ou relation
> personnage fictif (ou de légende)
> chef d'entreprise (ou entreprise)
> chanteur
> acteur
> acteur social
> autre

Par exemple, j'admire Nelson Mandela parce que, même après vingt-sept ans de prison, il n'a jamais perdu de vue son combat : mettre fin à l'apartheid. Il est courageux, persévérant et capable de pardonner.

Dans cet exemple, les valeurs qui ressortent sont : le courage, la persévérance et le pardon.

Les qualités qui vous touchent chez « vos héros » sont forcément en vous, même en germe.

Notez dans les jours qui viennent les situations dans lesquelles vos valeurs ont été bafouées par vous ou par d'autres. L'on sait qu'une valeur est une vraie valeur pour nous quand nous nous insurgeons si elle est bafouée. Si cela nous énerve seulement un peu, ça n'est visiblement pas une valeur fondamentale.

Une fois que vous avez identifié vos valeurs, il est temps de les appliquer dans votre quotidien. Ne restez pas butés sur un dogme qui rigidifierait vos actions. Si une valeur ne vous convient pas, changez-en !

Si le déclaratif est déjà une première étape, la mise en cohérence avec vos actions est indispensable pour gagner en authenticité et vous libérer de la pression de subir une vie qui n'est pas la vôtre. Nous pouvons parfois nous en sortir en trompant les autres, mais au bout d'un moment, il devient insupportable de nous tromper nous-mêmes.

Pour reprendre l'exemple de Nelson Mandela, si le courage est une valeur importante pour moi, je vais essayer de faire preuve de courage dans mon quotidien. Mais le courage, pour reprendre justement les mots de Mandela, ce n'est pas l'absence de peur mais la capacité à la vaincre. Tous les jours, il y a de nombreuses sources de petites ou grosses peurs que nous réussissons à dépasser avec courage.

Nous avons eu l'occasion de croiser sur notre route professionnelle des personnes dont les valeurs affichées étaient plus que séduisantes : élégance humaine et intellectuelle, respect, humilité et partage. Mais le décalage entre les valeurs annoncées et l'incarnation de ces valeurs s'est révélé inquiétant. Si nous avons réussi un temps à fermer les yeux et à mettre nos valeurs de côté au nom d'un engagement vis-à-vis d'une équipe (valeur importante pour nous), cette illusion n'a pas fait long feu.

Après plusieurs mois à souffrir de différents maux psychiques et physiques (lumbagos à répétition pour l'une, pyélonéphrites pour l'autre), le voile s'est levé. Nous avons ouvert les yeux et pris conscience que le manque d'authenticité que nous acceptions et nos valeurs piétinées avaient un coût trop élevé. La fin de cette relation de travail toxique (même si nous avons été obligées de nous confronter à l'inconfort) nous a permis de nous remettre en question. Nous avons renoué avec nos valeurs et avons décidé de les incarner dans la Fabrique à Bonheurs. La liberté que nous avons retrouvée n'a pas de prix. C'est une joie de tous les jours que de travailler en étant alignées avec nos valeurs. Nous ne regrettons à aucun moment cet épisode de notre vie car il nous a permis de grandir et de développer notre potentiel.

Revenir à l'authenticité et à ses valeurs est un parcours difficile, parfois même douloureux. Cela demande du courage, de la vulnérabilité, de la transparence et de l'intégrité. Mais ça en vaut vraiment la peine !

JE NOURRIS MES PASSIONS ET J'ACTIVE MES TALENTS

Nourrir nos passions, c'est alimenter notre énergie vitale. C'est mettre en route le moteur qui va nous tirer vers le haut et sortir de la négativité et de l'apathie qui nous empêchent d'être acteurs de notre vie.

Entendons-nous bien : une passion n'est pas forcément une activité ou un centre d'intérêt dévorants comme peut l'être une passion amoureuse à l'adolescence (et au-delà) qui nous empêche de dormir, de boire, de manger et nous isole du reste du monde. L'énergie se cache parfois dans des centres d'intérêt qui peuvent paraître insignifiants à l'échelle de l'humanité, mais qui à notre niveau peuvent devenir une source inépuisable de développement.

Rebeccah, 44 ans, maman à plein temps et fashionista

Rebeccah est mariée et l'heureuse maman de six enfants. Sur les conseils de son médecin, qui la trouve très déprimée, elle vient nous consulter. Son mari a perdu son emploi et il arrive en fin de prestation d'assurance-emploi. Cela fait des mois que la pression monte à la maison. Rebeccah se demande comment ils vont faire pour continuer à nourrir leur famille. Elle en est venue à la conclusion qu'elle devait trouver du travail. Jusqu'à présent, aucune proposition ne lui permet de concilier ses obligations familiales et une activité alimentaire. Lorsque nous lui suggérons de réfléchir à ce qu'elle sait faire de mieux, elle nous répond : « Bah rien, à part faire la cuisine et m'occuper d'enfants. J'ai quitté l'école très tôt et je n'ai pas de qualifications. Pourquoi aller faire à l'extérieur ce que je fais déjà chez moi et en plus payer quelqu'un pour garder mes enfants ? »

Au fil des séances, nous remarquons que Rebeccah arbore toujours de magnifiques tenues. Malgré son état dépressif, elle continue à faire attention à son allure. Rebeccah est juive pratiquante et observe les règles vestimentaires imposées par la loi juive : jupe longue, bras et tête couverts. Un jour, nous lui faisons remarquer que sa tenue est très jolie. Voici sa réponse : « Oh ça, c'est trois fois rien. C'est moi qui l'ai dessinée et cousue. J'adore la mode et j'adore choisir les tissus, imaginer des silhouettes et me servir d'une machine à coudre. Et puis vous savez, quand on est pratiquante, il est très difficile de trouver des vêtements sympas et à la mode dans les magasins. »

Sans s'en apercevoir, Rebeccah avait trouvé sa voie authentique. Nous lui soumettons l'idée suivante : «Pourquoi ne pas commencer à fabriquer quelques tenues pour vos amies et vos voisines ? Vous pourriez leur vendre ensuite.» Après s'être fait prier pendant quelques semaines, Rebeccah a dépassé sa peur du ridicule, son manque de légitimité et sa peur de l'échec. Elle a fabriqué une dizaine de tenues et a réuni ses voisines pratiquantes. Un vrai succès ! Elle a tout vendu et recevait dès le lendemain de nouvelles commandes.

Rebeccah n'est plus revenue nous voir. Nous avons eu de ses nouvelles récemment. Elle est très heureuse. Sa petite entreprise prospère. Elle a créé une ligne de prêt-à-porter pour femmes pratiquantes qui se vend lors de réunions style Tupperware où les femmes passent en plus un bon moment.

Petits exercices pour découvrir ses passions

Passionnément vôtre...

> Qu'est-ce qui vous ferait vous lever à 5 heures du matin avec enthousiasme ?

> Dans les dernières semaines ou mois, décrivez des situations où vous vous êtes senti vraiment bien, vraiment vivants, en harmonie avec vous-même. Quelle activité peut vous faire perdre la notion du temps ?

Prenez le temps de réfléchir à ces questions, parlez-en avec votre entourage en choisissant des personnes bienveillantes avec lesquelles il n'y a pas un fort enjeu ou une forte implication émotionnelle.

Continuez l'exercice dans les prochaines semaines et, une fois que vous aurez assez de matière, faites ressortir les activités récurrentes.

Apprendre pour nourrir vos passions

Avec l'amour, apprendre est la plus grande faculté dont la nature nous a dotés. De notre premier à notre dernier souffle, nous apprenons tout le temps, sous quelque forme que ce soit. Nous apprenons à développer plus de patience au contact des enfants, nous apprenons de nos erreurs (il vaut mieux). Chaque expérience émotionnelle, physique ou intellectuelle nous permet d'apprendre quelque chose qui nous transforme à jamais.

Souvent, lorsque l'on parle d'apprentissage, on y associe l'idée d'école, de savoirs académiques, de diplômes et de normes qui peuvent réveiller chez certains des souvenirs douloureux. Or, il n'est jamais trop tard pour activer le plaisir d'apprendre dans un domaine pour lequel nous avons de l'appétence. Rangeons nos *a priori* et nos vieux complexes (surtout que vous avez accepté l'idée d'être imparfaits) et expérimentons la joie de nous voir progresser dans un domaine. Plus nous apprenons, plus nous gagnons en confiance en nous, plus nous avons l'envie de mettre en œuvre nos talents.

Petit exercice pour nourrir ses passions

Vous êtes prêt à apprendre et à absorber de l'information ? Trouvez cinq livres, films, reportages ou magazines qui sont susceptibles de nourrir vos passions. Lisez-les, regardez-les et rapprochez-vous d'un groupe ou d'une communauté qui partage les mêmes centres d'intérêt que vous. Grâce aux réseaux sociaux, vous avez une opportunité fantastique d'en rejoindre sans souci de distance géographique. Les échanges vont nourrir votre passion.

Par exemple, dédicace spéciale à notre ami Christian, fou de tango. Il pratique le tango une fois par semaine à côté de chez lui. Comme il fait partie de la grande communauté du tango, il ne rate aucune occasion d'aller danser lors de ses déplacements professionnels dans d'autres villes de France et du monde. Loin d'en faire une activité professionnelle, sa démarche d'apprentissage lui procure de plus en plus de maîtrise et accroît son plaisir. Il regarde des vidéos sur internet, il s'inscrit à des week-ends de stage.

Cette démarche est valable pour n'importe quel centre d'intérêt, y compris les trilobites!

Mais si vous avez l'impression de ne pas avoir de passion émergente, nous vous proposons maintenant une autre activité pour débusquer à coup sûr une passion sous-jacente en vous.

Le cabinet d'inspiration

Apparu à la Renaissance en Europe, les cabinets de curiosités étaient des lieux où étaient entreposés et exposés des objets collectionnés. Ils se caractérisaient par l'éclectisme et l'inédit. Dans le même ordre d'idées, cela fait quelques années que nous l'expérimentons et le faisons expérimenter à nos patients et nos stagiaires, sous le nom de « cabinet d'inspiration ».

Prenez un carnet ou une jolie boîte dans lesquels vous allez collecter toutes les choses qui vous inspirent. Prenez des photos d'objets, de lieux, collectionnez des articles de magazine sur des sujets qui vous touchent, vous intéressent. À l'ère du numérique, c'est encore plus facile et plus instantané. Pinterest, Instagram et la création d'un blogue personnel offrent la possibilité de collectionner et de développer votre inspiration. Au bout d'un moment, vous allez vous rendre compte que votre cerveau va capter ce qui vous intéresse le plus. C'est le principe de la sérendipité. La sérendipité est une capacité cognitive à trouver et à découvrir ce que l'on n'avait pas l'impression de chercher. C'est une attitude de l'esprit, un style de vie qui combine ouverture d'esprit, curiosité et sérénité. Plus je sensibilise mes sens à recevoir de l'information pour un centre d'intérêt, plus j'augmente ma capacité à capter, sans effort et comme par hasard, les petits détails. Si je suis sensible à la déco vintage, mon attention va se porter sur tous les éléments vintage qui vont me passer sous les yeux. Partant de ce constat, votre cabinet d'inspiration va vous plonger, en toute sérénité, dans l'univers où vous vous sentez le mieux, et va vous rapprocher progressivement de vos passions.

Je (re)découvre mes talents, grands ou petits

Aucun être humain sur terre n'est doté d'aucun talent. Pour le dire autrement, tout le monde possède un ou plusieurs talents, sans qu'ils soient forcément extraordinaires, du type « don miraculeux ».

C'est exactement ce que décrit Ken Robinson[11], cher à notre cœur, dans son best-seller *The Element* (enfin traduit en français sous le titre *L'Élément*) : le talent d'entrer facilement en contact avec les autres, le talent d'accommoder les restes et d'en faire un repas de fête, celui d'harmoniser les relations, le talent de faire parler les chiffres, etc. Il existe autant de talents qu'il y a d'individus. Encore faut-il les connaître.

---

11. Ken Robinson est un auteur anglais, orateur et expert en éducation. Il est un spécialiste du développement de la créativité et de l'innovation.

Nous observons depuis quelques années, avec grande joie, tout un courant qui explore la question des talents propres à chacun. Il y a plus de six ans, nous avons suivi un parcours de *personal branding*[12]. Parmi les exercices d'intérêt variable (certains nous ont laissées dubitatives), quelques-uns nous ont plu par leur approche résolument positive et pratico-pratique. L'exercice sur la recherche de nos talents propres nous sert encore aujourd'hui. Tiré du livre *StrenghtsFinder* de Tom Rath, il consiste à répondre à un questionnaire de plus de quatre-vingts questions sur nos comportements dans des situations de la vie quotidienne. Ce test dégage cinq forces prédominantes parmi trente-quatre possibles, et donne ensuite dix actions concrètes pour activer chacune de ces forces et en faire des talents. L'inconvénient, c'est qu'il fallait d'abord acheter le livre où se trouve le code pour passer le test en ligne. Mais récemment, nous avons été ravies de découvrir que Florence Servan-Schreiber, dans son excellent livre *Power Patate*, avait vécu une expérience identique à la nôtre, qu'elle relatait dans deux chapitres dédiés à l'activation de nos forces et de nos talents exclusifs. Nous vous invitons, d'ailleurs, à lire le livre en entier, c'est une mine de ressources pour tous ceux qui désirent activer leurs super-pouvoirs sans s'épuiser à jouer les super-héros. Florence a déniché un autre test pour identifier ses talents, qui a le mérite d'être gratuit, en français et accessible directement sur le site du Via Institute on Character (http://www.viacharacter.org/Survey/Account/Register).

---

12. Venant des États-Unis, le *personal branding* est un parcours de développement personnel qui vise à découvrir, par une série de nombreux exercices, ce qui nous rend uniques et que nous pouvons mettre en avant pour faire la différence auprès de clients ou d'employeurs potentiels.

Petit exercice pour (re)découvrir ses talents

Nous vous invitons à vous poser les questions suivantes :

> Quels métiers voulais-je exercer quand j'étais petit ?

> Qu'est-ce que je fais de bien, intuitivement, sans avoir la sensation d'avoir fourni un effort pour l'apprendre, voire même sans qu'on me l'ait vraiment enseigné ?

> Quels sont les talents que l'on me reconnaît le plus souvent ? Rangez votre modestie au placard quelques instants et accueillez ces compliments comme si l'on parlait de quelqu'un d'autre. Ils sont précieux pour votre quête.

Maintenant que vous connaissez vos valeurs, que vous avez identifié vos passions et fait le point sur vos talents, il est temps d'aligner le tout.

J'ALIGNE MES VALEURS, MES PASSIONS ET MES TALENTS POUR LAISSER MON EMPREINTE

Il est parfois des instants de grâce suspendus où l'on entend exprimer exactement ce que nous pouvons ressentir. Comme si les mots qui sortent de la bouche d'une autre personne faisaient parfaitement écho à la moindre de nos pensées. C'est cette expérience que nous avons faite en écoutant Axel Kahn – scientifique, médecin généticien, essayiste français, marcheur – exprimer ce qui, pour lui, constitue l'essentiel de la vie.

Pour lui, l'essentiel est de pouvoir être considéré comme quelqu'un de bien. Il livre sa définition de ce qu'il entend par « quelqu'un de bien » : « C'est quelqu'un qui a, par sa vie, par sa relation, par son travail, apporté aux autres ce qui leur a été utile dans leur vie, dans leur épanouissement, pour surmonter leurs difficultés. »

La vie offre bien des opportunités d'enrichir les autres mais pour cela, encore faut-il ne pas gâcher nos chances. La paresse n'est pas une vertu et chacun d'entre nous renferme des talents divers, une richesse qui est diverse. Elle peut être plus ou moins importante mais dans tous les cas, nous avons tous en nous une injonction, qui est essentielle : celle de ne pas gâcher nos potentialités.

C'est la condition fondamentale pour que nous apportions aux autres ce qu'ils sont en droit de nous demander. Ce message fondamental est une bonne transition entre la nécessité de découvrir ses talents propres et celle de les mettre au service des autres.

Les études récentes en psychologie positive démontrent que les personnes les plus heureuses sont celles qui s'engagent auprès des autres, celles qui ont compris que le bien-être que procure l'argent est éphémère alors que l'énergie et le temps investis dans les relations positives procurent un bonheur beaucoup plus pérenne.

Denis, 54 ans, chômeur qui ne chôme plus

Nous rencontrons Denis dans le cadre d'une intervention qui vise à redonner confiance et à revaloriser les personnes en recherche d'emploi.

L'absence de travail engendre également une pression importante liée à la peur de ne pas retrouver d'activité, à la peur de l'insécurité financière, à la perte de sens et d'utilité et à la pression sociale du regard des autres. Eh oui ! tous ceux qui sont surmenés au travail rêvent parfois d'être au chômage (entendez « payés à ne rien faire » comme peuvent le dire certains). La réalité est tout autre malheureusement.

Denis nous raconte son parcours : scolarité exemplaire, diplômes avec mention d'une grande école de commerce, plus jeune diplômé de France, gestionnaire de la filiale France d'une grande entreprise agroalimentaire dès l'âge de 26 ans, champion de triathlon, marié depuis vingt-cinq ans, deux enfants, garçon et fille. Le choix du roi. En bref, le tableau idéal !

Ce que nous comprenons à demi-mot, c'est que Denis a vécu sous pression pour réussir professionnellement, gagner beaucoup d'argent pour sa famille, entretenir une belle maison et une résidence secondaire (où il dit n'avoir quasiment jamais eu le temps de mettre les pieds).

Et patatras ! Suite à une fusion-acquisition, Denis se retrouve du jour au lendemain mis dehors de l'entreprise. Ça n'arrive pas que chez Enron.

« À présent au chômage, je réalise que je suis passé à côté de ma vie, que je connais à peine mes enfants et que je ne les ai pas vus grandir. Mes revenus ont diminué fortement et j'ai l'impression qu'ils m'en veulent de ne plus pouvoir leur assurer le même train de vie. Et surtout, je me sens vide et inutile. Tout ça, ça n'était que du vent. Je me suis défoncé pour rien, finalement. »

Qu'en dit le psy ? *Nous proposons toujours les exercices sur les passions et les talents pour sortir les participants d'une vision uniquement utilitaire du travail. Quand des personnes pensent qu'elles n'existent que par rapport à leur travail, lorsqu'elles le perdent, elles ont l'impression de ne plus exister. Nous sommes, dès lors, obligées de dépasser le simple cadre du travail et de les amener à aller puiser leurs ressources dans toutes leurs expériences depuis l'enfance.*

Nous constatons que le visage de Denis s'illumine lorsqu'il évoque ses souvenirs d'enfance et notamment lorsqu'il participait à des levées de fonds pour la Croix-Rouge. Nous lui faisons remarquer qu'il portait déjà en lui au moins trois talents : le goût du défi, la fibre commerciale et l'art de convaincre. Et une valeur essentielle pour lui : l'altruisme.

Denis prend conscience que ses talents lui ont permis de réussir brillamment dans sa vie professionnelle. Il prend aussi conscience, non sans douleur, que dans sa course effrénée à la réussite sociale, il s'est déconnecté de sa valeur : aider les autres. Il a mis à profit ses talents pour des causes qu'il juge, aujourd'hui, vides de sens.

« *Déjà que je n'avais pas l'impression d'être utile aux autres du temps où je travaillais ! Alors, maintenant, imaginez !* »

Puisque Denis a actuellement beaucoup de temps libre, nous lui conseillons d'approcher une association dont la cause le touche et de proposer ses services en tant que bénévole.

Lors des réunions suivantes, Denis manque à l'appel (oui ! un de nos fantasmes a toujours été de nous retrouver générales d'une armée ☺). Nous ne le reverrons qu'à la dernière séance, six mois après. Sa mine est resplendissante, on dirait qu'il a pris quelques centimètres. Il s'empresse de prendre la parole : « Juste après notre dernière rencontre, j'ai suivi votre conseil et je me suis rapproché d'une association œuvrant au profit d'enfants autistes.

Cette association cherchait un moyen de récolter des fonds. Ils avaient eu l'idée d'organiser un tirage à l'occasion d'un gros événement sportif local. Il fallait donc vendre des billets et récolter des lots. J'ai d'abord pensé à acheter tous les billets pour faire un don déguisé. Et puis non ! J'ai repensé au travail que nous avions fait sur les talents et les valeurs. Alors, j'ai d'abord pris une journée, puis deux, puis trois, pour vendre les billets à l'unité et pour trouver des lots. J'ai consacré ensuite deux ou trois heures par jour à cela. Chaque billet de 10 dollars vendu me procurait une grande jubilation. Le soir, j'étais heureux et du coup je dormais mieux que d'habitude. J'avais le sentiment d'être utile à quelque chose. Ces enfants n'avaient rien demandé et, moi, je leur donnais. Ce don de moi pour eux, pour leur bien-être et celui de leur famille me renvoyait au petit Denis qui récoltait des fonds pour la Croix-Rouge. Et la cerise sur le gâteau, c'est que l'association recherche quelqu'un pour faire de la collecte de fonds auprès des grandes entreprises, et ils ont pensé à moi ! Je vais gagner un peu plus que le salaire minimum mais ça vaut tellement plus ! Vous y croyez ? »

Eh oui ! Nous y croyons à fond ! En se reconnectant à sa valeur essentielle et en mettant ses talents au service de cette valeur, Denis a redonné du sens à sa vie et s'est débarrassé de la pression.

J'ARRÊTE DE ME PLAINDRE ET JE PRENDS
LA RESPONSABILITÉ DE MON BIEN-ÊTRE

Arrêter de se plaindre, c'est le pari fou que s'est lancé notre amie Christine Lewicki en 2010. Voici son témoignage : « Un soir, je me retrouve allongée dans mon lit épuisée, éreintée, vidée, à me dire que je viens de passer une mauvaise journée. Et pourtant je m'interroge... La journée que je viens de passer est une journée tout à fait ordinaire, rien de grave ne s'est produit et je sais que des journées comme celle-ci, j'en aurai encore un paquet dans ma vie. Je me dis que je n'ai pas envie de me coucher dans cet état, que je n'ai pas envie de lutter, de résister, de chialer sur tout ce qui m'arrive. Oui, la vie est faite de frustrations mais je veux profiter de mon quotidien, des journées banales qui font ma vie. Je me souviens alors d'un séminaire de trois jours durant lequel on m'avait parlé d'un défi pour arrêter de râler en 21 jours (Edwene Gaines). Je décide que je ne peux plus reculer, je dois me lancer ! Je me demande alors ce qui pourrait arriver si pendant 21 jours je pouvais m'engager pleinement et consciemment à changer mes habitudes, à prendre mes besoins en main et à complètement transformer ma vie en savourant chaque instant. »

Christine a réussi son pari qui a, en effet, transformé sa vie. Elle a commencé à écrire un blogue dans lequel elle proposait aux internautes de la suivre dans ce défi. Les visites du blogue ont explosé ! La suite est encore plus extraordinaire : elle a raconté son histoire et sa méthode dans un livre qui est devenu un best best best-seller.

Se plaindre sans cesse est la conséquence directe d'une pression subie comme une fatalité.

Arrêter permet d'éviter de dépenser une énergie folle à ruminer sur toutes les choses négatives qui nous pourrissent la vie. Le statut de « victime » est un symptôme de la pression qui nous vient de l'extérieur. Quand nous avons l'impression de subir une vie qui ne correspond pas à celui ou celle que nous sommes vraiment, quand nos besoins ne sont pas satisfaits, quand les frustrations s'accumulent, nous perdons la maîtrise de notre vie. Nous sommes paralysés, dans l'incapacité d'agir autrement que de s'apitoyer sur notre sort. Si nous voulons sortir de cette impasse et redevenir le capitaine de notre bateau, nous n'avons pas d'autre choix que celui d'agir, de prendre la responsabilité de nos besoins et de nous comporter avec authenticité.

Mes petites soupapes du quotidien

* **L'Élément** *de Ken Robinson (quand trouver sa voie peut tout changer), Play Bac (2013)*

* **Power Patate** *de Florence Servan-Schreiber (vous avez des super-pouvoirs ! Détectez-les et utilisez-les !), Marabout (2014)*

* **Mange Prie Aime** *d'Élizabeth Gilbert, Calmann-Lévy (2008), pour se découvrir, aligner ses valeurs, ses talents et ses passions, et retrouver l'appétit de la vie*

* **Les conférences TED** *pour apprendre toujours et encore (www.ted.com)*

* **La société des poètes disparus,** *un film de Peter Weir avec Robin Williams, pour lutter contre le conformisme social et retrouver la liberté d'être soi et de crier « carpe diem »*

* **L'opus de monsieur Holland,** *un film de Stephen Herek avec Richard Dreyfus pour comprendre ce que signifie « laisser son empreinte » chacun à son niveau*

* **La Vie rêvée de Walter Mitty,** *un film de et avec Ben Stiller, pour faire la différence entre rêver sa vie et vivre ses rêves*

MES RÉUSSITES **DANS LA QUATRIÈME ÉTAPE**

✓   J'ai compris ce que voulait dire être authentique.

✓   J'ai aussi compris ce que j'avais à gagner à le devenir.

✓   Je me reconnecte à mes valeurs et je tente au mieux de les incarner dans ma vie.

✓   Je nourris mes passions.

✓   Je (re)découvre et j'active mes talents (grands et petits).

✓   J'aligne mes valeurs, mes passions et mes talents pour laisser mon empreinte.

✓   J'arrête de me plaindre et je prends la responsabilité de mon bien-être.

Bravo!

ÉTAPE 5

FABRIQUER SES PETITS BONHEURS

(MÊME SI ON EST POCHE EN BRICOLAGE)

« Plutôt que de songer à trouver le Bonheur à tout prix, cessez déjà de faire les choses qui vous rendent malheureux. »

AUDABELLE PAILLAK

QUI N'A JAMAIS... cherché le grand bonheur? Celui qui vous fait battre le cœur, vous fait entendre le doux chant des petits oiseaux, respirer l'air pur, vivre votre vie à cent à l'heure tout en ayant l'impression de courir au ralenti dans les bras de votre amoureux ou amoureuse? Chabadabada, chabadabada...

La société nous renvoie une image idéale du bonheur. Une injonction au bonheur qui nous met une pression intense tant elle est d'abord mielleuse et sirupeuse, et finalement carrément tyrannique. Il faut être heureux, souriant, joyeux, à son meilleur... Stop! Trop c'est trop!

Non, la vie n'est pas que douceur, bonheur, caramels, bonbons et chocolat. Elle est aussi faite d'épreuves tristes ou douloureuses, de petits moments d'énervement et d'agacement que l'on a le droit d'exprimer et de ne pas réprimer au nom d'un «sois positif!», «faut rester zen!» et autres affirmations censées montrer notre «coolitude».

Nous nous mettons donc une pression de dingue pour espérer arriver un jour au bonheur, celui qui a un grand B. Et à défaut de pouvoir le réaliser aujourd'hui, ce bonheur avec son grand B est souvent un objectif que l'on fixe dans le futur. Nous sommes en effet conditionnés dès l'enfance et confortés dans l'idée qu'il faut «faire ce qu'il faut» pour mériter plus tard d'être heureux. Dès notre plus jeune âge, notre entourage nous assène parfois un discours qui ressemble à: «Il faut faire des efforts et bien travailler à l'école pour avoir une bonne job plus tard, gagner de l'argent et être heureux.» Devenu adulte, on se tue à la tâche en nourrissant l'espoir de profiter d'une retraite paisible et heureuse, que malheureusement certains n'auront pas le temps de vivre; notamment ceux que le stress aura vaincus.

À l'instar des émotions, positives et négatives, qui nous traversent en permanence, notre parcours de vie est jalonné d'expériences et d'événements tristes et douloureux. Rien d'anormal à cela. Nous n'avons pas d'autre choix que de l'accepter. Cependant, rien ne nous force à alimenter notre malheur. Néanmoins, au lieu de nous mettre de la pression dans une course au bonheur à tout prix, nous pouvons déjà commencer par cesser de faire des choses qui nous rendent malheureux.

Pas étonnant que quelques-uns (beaucoup?) se tannent et choisissent de cultiver un pessimisme déguisé en un hyperréalisme défensif pour contrer la tyrannie de la « mélodie du bonheur ».

JE PRENDS CONSCIENCE

La grande croyance sur le bonheur est que nous naissons optimistes et joyeux ou pessimistes et plus enclins à la tristesse. Pas d'chance! Mais comme dit le proverbe : « Le bonheur ne vient pas à ceux qui l'attendent assis. » En langage courant, bougeons-nous pour construire notre bonheur.

SOMMES-NOUS ÉGAUX FACE AU BONHEUR?

Nous entendons souvent des gens malheureux constater, avec fatalisme, qu'ils ne sont pas faits pour le bonheur. Émilie, une jeune femme rencontrée lors d'une formation que nous donnions dans une importante entreprise, nous disait à ce propos : « Je ne suis pas née avec le gène du bonheur. Je viens d'une famille d'anxieux et de malchanceux. Et moi-même, je n'ai jamais de chance. Je crois que je suis condamnée à être malheureuse toute ma vie. »

Lorsqu'elle parle de «gène du bonheur», Émilie n'a pas tout à fait tort. Les travaux effectués en psychologie sociale montrent que nous possédons tous un *set point*, un niveau prédéterminé de bonheur. Ce *set point* correspond à notre niveau subjectif de bien-être, déterminé par notre hérédité et assez constant tout au long de notre vie. Sonja Lyubomirsky, chercheuse en psychologie sociale, et ses collègues ont, après de nombreuses études[13], dégagé une théorie intéressante sur l'aptitude à être heureux de manière durable. Pour ces chercheurs, le fameux *set point* représente 50 % de notre capacité à être heureux ou malheureux, indépendamment des circonstances de la vie (richesse ou pauvreté, maladie ou bonne santé, mariage, divorce, deuil, etc.) qui correspondent seulement à 10 %. La bonne nouvelle est que les 40 % restants dépendent donc de nous-mêmes, ce qui n'est pas négligeable. Nous avons donc la possibilité de fabriquer notre bonheur de manière consciente. Cette démarche demande toutefois quelques efforts, de la volonté et de la persévérance !

De notre côté, nous pensons que le bonheur ne s'écrit pas avec un grand B, mais avec plein de petits «s» à la fin. Nous ne parlons pas de Bonheur mais des bonheurs. Nous avons d'ailleurs créé la Fabrique à Bonheurs car nous sommes persuadées que le bonheur se construit en accumulant les petits bonheurs au quotidien. Facile à dire? Non, mais plus simple qu'il n'y paraît.

Notre regard nous porte vers ce que nous souhaitons voir. Si je cherche toutes les raisons de me morfondre et la

---

13. Lire l'étude de 2005 *Pursuing Happiness: The Architecture of Sustainable Change* (http://sonjalyubomirsky.com/wp-content/themes/sonjalyubomirsky/papers/LSS2005.pdf).

confirmation que le monde est vraiment trop injuste, comme le disait notre ami Calimero, j'aurai toutes les chances (ou les malchances) de tomber sur des informations qui conforteront ma croyance, car le monde n'est pas tout rose et c'est la réalité.

Si, au contraire, je cherche à débusquer dans chaque journée des moments de joie, de grâce, d'étonnement, d'émerveillement, alors je vais me rendre compte que ces moments vont se multiplier et que mon regard va, de plus en plus, se porter sur ces mini-événements qui finissent par former un méga-sentiment de bien-être et de joie en fin de journée.

Le bonheur, ça s'apprend et ça demande un entraînement quotidien, même de quelques minutes, afin de le développer.

PLUS D'ARGENT, PLUS HEUREUX, MOINS DE PRESSION ?

Parmi les croyances les plus répandues sur le bonheur, l'une des plus ancrées est que « l'argent fait le bonheur ». Et son contraire : sans argent, impossible d'être vraiment heureux. Les « si seulement j'avais une plus grande maison, une belle voiture, un écran plasma et les moyens de faire le tour du monde, ce serait le bonheur » sont distillés en permanence au fil des conversations et/ou des publicités.

L'année dernière, en France, une publicité pour une banque en ligne dont on taira le nom montrait une image très surprenante du rôle de la banque. La douce voix off nous disait sur des images de rêve en noir et blanc : « L'argent, c'est lui qui décide de ce que vous mangez, de l'endroit où vous vivez, des blagues auxquelles vous riez, de votre humeur, de votre âge, du temps que vous passez avec vos enfants, de votre virilité, de vos souvenirs... l'argent décide pour vous. Et pour votre argent qui décide?» Votre banque en ligne bien sûr. Au secours!

Le professeur d'économie Stavros Drakopoulos souligne l'importance du revenu pour être heureux. Mais il ajoute également qu'un revenu croissant n'induit pas un bonheur croissant[14]. C'est ce que nous avons vérifié avec l'histoire de Miguel.

Miguel, 38 ans, un courtier à la maternelle

Parmi nos belles rencontres de l'année, il y a Miguel. Enseignant, il est venu participer à la formation «Enseigner et accompagner avec la Pédagogie Positive» chez nous, à la Fabrique à Bonheurs.

Nous commençons toujours nos formations par un petit jeu d'interview par équipe de deux, en Mind Mapping, qui permet ensuite de présenter les participants.

Avant de s'occuper de nos chères têtes blondes, brunes, châtains et rousses, Miguel vivait à New York et travaillait comme courtier dans une grande banque qui n'a pas fait faillite avec la crise des subprimes. Notre curiosité étant à son paroxysme, nous l'avons quasiment supplié de nous expliquer comment un courtier, qui vit dans une des villes les plus cool du monde (sur l'échelle Akoun-Pailleau, avec Paris, Londres, Montréal et Blanguy-le-Château), qui doit gagner beaucoup beaucoup beaucoup d'argent, peut-il décider de tout lâcher pour devenir enseignant?

« C'est simple! J'étais sur place le 11 septembre 2001 quand les tours jumelles sont tombées. Je les ai vues s'effondrer sous mes yeux, j'ai perdu des amis mais j'ai aussi entendu mon chef crier: "Vendez! Vendez! Vendez! C'est le moment! C'est le jackpot!"

---

14. Stavros Drakopoulos, *Values and Economic Theory: The case of Hedonis,* Avebury, 1991.

C'est seulement quelques jours après, passé l'état de sidération, que j'ai commencé à me sentir vraiment mal et à me dire que je gagnais de l'argent sur la misère humaine. Je me mettais une pression terrible pour gagner toujours plus d'argent et pour être le meilleur. Mais pour quoi faire? Étais-je plus heureux? Passé l'euphorie de mes débuts très lucratifs, je me suis aperçu que j'avais vécu toutes ces années loin de ceux que j'aimais, à faire des heures de bureau illimitées, sans avoir de temps pour dépenser mon argent, fonder une famille alors que j'adore les enfants, dans l'impossibilité de déconnecter pour ne pas être dépassé et avec cette pression permanente de l'échec.

Je suis rentré en France et j'ai pris le temps de me reposer, et de me poser les bonnes questions. Notamment celles qui me tenaient vraiment à cœur et que j'avais remisées dans un coin de ma tête depuis longtemps: enseigner, transmettre, partager. J'ai décidé de préparer et de passer le concours pour devenir enseignant et je l'ai eu. »

Une des participantes l'a interpellé en ironisant: « Dis donc, c'est quand même plus facile de se reconvertir quand on dort sur un matelas de billets! » Ce à quoi Miguel a répondu: « Détrompe-toi, je n'ai gardé que ce que je considérais comme une juste rémunération de mes heures de travail. Avec ce qui restait, j'ai acheté une maison à ma mère et j'ai versé le reste à des associations caritatives. Je l'ai peut-être fait par culpabilité mais je savais que tout cet argent ne m'avait jamais rendu heureux. Aujourd'hui, je gagne ce qui peut paraître une misère pour mes anciens collègues, mais j'ai l'impression de vivre à fond! »

 S'il est indéniable qu'une croissance de la richesse (augmentation des revenus, acquisitions immobilières, etc.) favorise le bonheur pour la majorité des gens, son effet est toujours de courte durée. L'on s'aperçoit que bien des gens consacrent une grande partie de leur vie (notamment entre 25 et 55 ans) à essayer de gagner de l'argent en y sacrifiant leur santé et leur famille, pour plus tard le dépenser en tentant de réparer les relations abîmées avec leur famille et soigner désespérément leur santé endommagée.

Moralité: visons plutôt la recherche de formes durables du bonheur. Prendre soin de sa santé (même avec nos maladies et/ou nos handicaps) pour se sentir le mieux possible, entretenir des relations saines avec nos proches, nous rendre utiles et adapter notre mode de vie à nos moyens.

Coup de pouce : L'argent, un carburant qui peut prendre des formes plus écologiques et éthiques

Connaissez-vous le concept d'économie collaborative ? Il s'agit d'une alternative saine à la société de consommation telle que nous la connaissons depuis toujours. Eh oui ! Tout n'est pas que « *fatalitas fatalitas* ». Un joli pied de nez aux grincheux qui clament que l'on ne peut pas faire autrement.

Nous sommes émerveillées de voir pousser des initiatives de citoyens qui, las de subir un système délétère, décident d'agir et de remettre en route le bon sens collectif et solidaire de proximité, qui bénéficie à tous. La version 3.0 du système D : espaces de coworking (travail coopératif), troc, achats groupés, services partagés, voire habitats partagés. Le Net regorge de ces nouveaux bons plans[15].

Assez réfléchi, il est temps de s'y mettre ; autant commencer au plus vite !

JE PASSE À L'ACTION

Nous rencontrons souvent, au gré de nos lectures, des méthodes pour être heureux et trouver le bonheur avec un grand B : « soyez ceci », « pensez comme cela », « faites ci, ne faites pas ça »... Or, toutes celles et ceux qui ont un peu d'expérience savent bien qu'il n'y a pas de bonnes recettes toutes faites pour être heureux. Chacun doit trouver son chemin et le bonheur n'est-il pas ce chemin justement ?

---

15. N'hésitez pas à consulter le site consocollaborative.com pour plus d'infos.

JE ME SENSIBILISE AUX BONHEURS

Tous nos tâtonnements, nos expériences heureuses et malheureuses, nos découvertes, nos rencontres et nos désirs nous mettent sur la voie, nous demandent parfois de nous arrêter aussi, juste pour profiter de l'instant... Et toujours nous poussent à nous remettre en question !

En d'autres termes, si nous voulons être heureux, ne cherchons pas des réponses préformatées. Posons-nous les bonnes questions, des questions concrètes qui appellent non seulement une prise de conscience mais également une mise en œuvre consécutive.

Nous errons souvent dans ce registre des prescriptions abstraites : « ah, si seulement je faisais ceci », « je devrais faire ou dire ça », « demain j'arrête », « je commence lundi », etc. Ah ! les bonnes résolutions que nous tenons rarement...

Ces affirmations, outre qu'elles ne définissent pas un objectif assez concret, sont culpabilisantes car porteuses d'une insatisfaction chronique pour cause de procrastination et de non-accomplissement. Elles nous laissent un goût amer et abîment progressivement notre estime de nous-mêmes. Elles nous renvoient systématiquement à nos défaillances et entretiennent la focalisation sur le négatif.

Nous vous proposons donc un petit challenge pour passer à l'action : munissez-vous d'un joli carnet ou d'un cartable de 21 pages. Chaque soir, essayez de répondre aux dix questions qui suivent. Ne cherchez pas des réponses trop compliquées ou trop idéalistes. Le bonheur se cache dans les petits détails d'une journée. Si vous ne trouvez pas de réponse à une question, inutile de culpabiliser et de vous décourager. Vous avez encore de nombreuses journées pour trouver des réponses, vos réponses.

Voici les questions:

1. Qu'ai-je appris aujourd'hui?

On apprend tous les jours sans s'en apercevoir parfois. Vous pouvez apprendre des choses académiques, de nouvelles manières de travailler, des choses pratiques, mais vous pouvez aussi apprendre des autres et même des expériences négatives.

2. Qu'est-ce qui m'a fait rire aujourd'hui?

Il ne s'agit pas que du fou rire. Un sourire suffit. Une situation, une image, une conversation, un souvenir, un mot peuvent mettre du soleil dans votre journée. Si vous vous apercevez, en fin de journée, que vous n'avez pas ri, il n'est pas trop tard. Mettez-vous devant votre miroir et souriez, même de manière forcée. Votre cerveau ne fera pas la différence.

3. Qu'est-ce qui m'a surpris aujourd'hui?

Là encore, il ne s'agit pas de la grosse surprise mais des petits clins d'œil de la vie. Les petites choses auxquelles on ne s'attendait pas. Ce peut être nos réactions également.

4. De quoi suis-je fier aujourd'hui?

Notez ici ce qui vous a rendu fier des autres ou de vous-même. Le sentiment de fierté réside aussi dans les petites actions. Par exemple, l'on peut être fier d'avoir résisté à engloutir le troisième gâteau qui nous faisait de l'œil. Bon, OK, on en a mangé deux, mais on a su s'arrêter avant le massacre diététique.

5. Quels actes d'amour ou d'amitié ai-je donnés ou ai-je reçus aujourd'hui?

Un regard, une main tendue, mon écoute, un câlin, un service... L'amour comprend aussi l'amitié.

6. Pour quoi ou pour qui je ressens de la gratitude aujourd'hui?

Ah, la gratitude! Savoir et oser dire merci et reconnaître la gentillesse d'un bienfaiteur, de quelqu'un ou quelque chose qui a été bon, bienveillant, positif pour nous. Ce peut être une personne, un animal, la vie, Dieu (pour les croyants), les *Télétubbies* pour nous avoir donné vingt minutes de break sans les cris des enfants... L'important est de reconnaître ce bienfait et de remercier.

7. Qu'ai-je fait aujourd'hui pour me rapprocher un peu plus de mon objectif ou de mon rêve?

Ce qui est important, c'est le «un peu plus». Si petites soient vos actions, elles comptent dès lors qu'elles vous rapprochent de votre but. Découvrez la méthode des petits pas (voir p. 205 qui est un super catalyseur de motivation et de confiance en soi.

8. Qu'ai-je fait pour prendre soin de moi aujourd'hui?

Par exemple, faire une pause au lieu de courir en pensant que l'on n'a pas le temps, écouter de la musique qui fait du bien (pas d'autocensure ou de pression sociale, que ce soit une chanson quétaine ou une fugue de Bach, tout est bon à prendre), respirer cinq minutes, se faire un massage des mains ou autre. Et si vous avez plus de temps, prendre un bain ou une longue douche avec des bulles, un masque de beauté et toutes ces petites douceurs qui font du bien.

9. Qu'est-ce qui m'a enthousiasmé, excité ou inspiré aujourd'hui ?

N'attendez pas uniquement le big Ô ! Quoique, si ça vous arrive tant mieux pour vous ! Une conversation, un nouveau projet même à l'état embryonnaire, une citation (nous connaissons d'ailleurs une bonne page Facebook pour les citations ☺), une nouvelle rencontre, une ancienne rencontre, une œuvre artistique, etc.

10. Qu'ai-je fait concrètement pour relâcher la pression aujourd'hui ?

Par exemple, j'ai choisi de partir plus tôt en laissant un dossier qui peut bien attendre demain. J'ai refusé une invitation qui ne me tentait pas, etc.

Il y a quelques mois, nous avons créé ce challenge des 21 jours sur Facebook où nous invitions les internautes à participer et à partager avec nous leur cheminement. Notre initiative a remporté un franc succès puisque pas moins de 2 500 personnes ont rejoint l'événement qui avait été relayé dans la foulée par le Huffington Post.

Les bénéfices que les participants en ont tirés sont nombreux. Voici deux témoignages. Nous n'aurions pas pu mieux le dire, nous leur laissons la parole :

- « L'idée que l'on se fait du bonheur ressemble davantage à une abstraction qu'à une réalité quotidienne réellement vécue, or j'ai appris que le bonheur était dans mon quotidien. Le fait de devoir réfléchir chaque jour aux questions m'a permis de rentrer dans un état d'esprit capable d'orienter mes pensées et mes actions de manière positive, en gros d'adopter la "positive attitude" ! J'ai ressenti ce phénomène dès le troisième jour du défi. Faire le point de sa journée en ne pensant qu'au positif permet de chasser le négatif même s'il a eu lieu. Je suis fière d'avoir tenu bon, d'être allée jusqu'au bout de ce pari que j'ai failli abandonner suite à une mauvaise nouvelle. Je sais maintenant pourquoi je l'ai fait, pourquoi cela me tenait tant à cœur : me prouver que j'étais capable de voir du positif dans ma vie, que non, ce n'était pas génétique de ne voir que le côté négatif des choses, que non, "on n'est pas comme ça dans la famille", je ne veux plus de cette étiquette qui me colle à la peau depuis tant d'années. »

- « Je viens de répondre aux questions pour ce jour 1 et j'observe que le fait de buter sur quelques questions oblige mon cerveau à ouvrir de nouvelles connexions et c'est bien agréable. »

En conclusion, plus nous devenons conscients de notre ressenti, plus nous cherchons tous ces petits détails qui pimentent la vie, plus nous ouvrons nos connexions, plus nous cultivons nos bonheurs. Pour découvrir les bienfaits de ce défi, rien ne vaut la pratique. À vous de vous lancer.

JE PRENDS LA ROUTE DU BONHEUR

Je commence par faire la liste des envies que je veux réaliser. Nous avons en effet beaucoup aimé le livre *La Liste de mes envies* de Grégoire Delacourt. Pour ceux qui ne l'auraient pas encore lu, le pitch est le suivant : une petite mercière de province gagne à la loterie une somme à plusieurs zéros mais n'ose pas aller chercher son gain par peur des conséquences. Elle décide de commencer une liste de toutes les choses qu'elle aimerait avoir et faire : « La liste de mes envies ».

Sans parler de gagner au 6/49, nous avons tous des petites ou des grosses envies, réalisables à plus ou moins long terme.

Faites-en une liste sans vous censurer, tout en vous disant que cela n'est pas réalisable.

Puis, pour chacune de vos envies, demandez-vous quelle serait la première action concrète et réalisable par vous (même si vous devez demander à quelqu'un de vous aider) pour vous rapprocher de votre plaisir.

N'oubliez pas que le Bonheur est dans les petits pas...

« J'ai 50 lb à perdre, c'est trop difficile, je n'y arriverai jamais », « J'ai ce dossier à rendre pour hier, il y a 150 pages à écrire, c'est énooooorme ! », « Je ne viendrai jamais à bout de ces maudits travaux », etc. Autant de pensées décourageantes qui nous viennent face à une tâche de grande ampleur et/ou difficile, et qui peuvent nous bloquer dans notre mise en route. Et c'est humain ! Car si je me trouve au pied d'une montagne de 1 000 mètres, que je me focalise sur le sommet, je risque très vite d'avoir peur d'échouer et de me démotiver.

Or, si je me dis que mon objectif est de gravir 10 mètres, la tâche va me paraître facile, je vais avoir envie d'y aller et je vais mettre toutes les chances de mon côté pour réussir. Une fois l'objectif de 10 mètres atteint, je ressens une satisfaction. Ma motivation est stimulée et je peux repartir pour un nouvel objectif de 10 mètres. Et ainsi de suite...

C'est ce que l'on appelle la méthode du Kaizen, le principe d'amélioration continue. D'origine japonaise, cette philosophie de vie trouve beaucoup d'applications tant dans la vie personnelle que professionnelle.

Si je veux changer quelque chose dans mon comportement, réaliser une tâche quelle qu'elle soit, difficile ou pas, je vais découper le grand objectif en toutes petites étapes plus faciles à atteindre. Perdre 50 lb, c'est perdre 1 + 1 + 1 + 1 +... + 1 lb et se féliciter à chaque étape, et continuer avec un nouveau petit pas. Pour démarrer, je ne dois pas penser au nombre 50 mais au chiffre 1 !

Et vous, quel sera votre premier petit pas pour réaliser vos envies ?

JE STIMULE MA JOIE DE VIVRE

Comme l'écrivait Viktor Frankl[16] dans son ouvrage *Découvrir un sens à sa vie avec la logothérapie* : « L'humour aide à garder une certaine distance à l'égard des choses et il permet de se montrer supérieur aux événements. »

En plus de nous faire relativiser les événements douloureux de la vie, l'humour permet de voir la vie du bon côté et d'activer notre joie de vivre. L'humour est une forme d'esprit railleuse qui attire l'attention, avec détachement, sur les aspects plaisants ou insolites de la réalité.

Tout le monde n'a pas forcément un sens du comique inné (n'est pas Coluche qui veut). En revanche, nous avons tous la capacité de nous amuser de la vie et de nous-mêmes. Ce sont tous les petits détails savoureux qui transforment une journée en une somme de petits bonheurs. À nous d'être attentifs et d'attraper toutes les occasions qui s'offrent à nous, même dans une journée un peu morose.

L'humour n'est pas universel et unique. Il n'existe pas un bon humour et un humour nul. Il y a plusieurs formes d'humour et il n'existe pas d'échelle de valeurs (exception

---

16. Viktor Frankl (1905-1997) est professeur de neurologie et de psychiatrie, créateur de la logothérapie. Son expérience d'incarcération dans les camps de la mort lui a permis de comprendre l'importance de trouver un sens à sa vie pour avoir l'envie et le courage de continuer.

faite de certains propos malveillants déguisés en humour). Nous avons tous des sensibilités différentes. Ce qui me fait rire peut paraître ridicule aux yeux de mon voisin. Peu importe, du moment que cela me met en joie !

Prenons notre exemple que certains pourraient trouver complètement débile. Nous pratiquons un art que nous prenons très au sérieux : celui de prendre des accents improbables et de parler toute la journée avec. Nous excellons dans l'accent marseillais, marocain, américain, anglais, espagnol, allemand, portugais, antillais, chti, versaillais, vietnamien, indien, sénégalais, juif sépharade, juif ashkénaze et belge. Loin de nous le désir de nous moquer ! Les études récentes en psychologie cognitive montrent que le polyglottisme (eh oui, le mot existe : fait de parler plusieurs langues) favorise les fonctions cognitives et aide à lutter contre la démence sénile. Comme nous n'avons pas le temps d'apprendre autant de langues que nous le souhaitons, nous avons choisi de pratiquer leurs accents. Cela nous donne l'illusion de savoir les parler et nous permet de faire les folles, au grand dam de nos ados. Il n'y a pas un jour sans que nous prenions un accent. Cela nous fait rire et nous permet toujours de relâcher la pression.

Petite phrase à coller sur votre miroir de salle de bains

Aujourd'hui, je choisis la joie !

Nous adorons également les jeux de mots et les grimaces. Nous nous régalons de l'absurdité de certaines situations, même les plus énervantes. Après tout, la vie n'est-elle pas merveilleusement absurde ? Rions de tout, rions de rien, rions de nous, mais rions !

Nous entendons déjà certains dire dans leur tête : « Plus facile à dire qu'à faire. Ça se voit que vous n'avez pas souffert. Certaines personnes ont des vies tellement difficiles qu'il n'y a pas lieu de se réjouir. » C'est vrai, l'on ne se réjouit pas du malheur et de la souffrance. En revanche, il est possible, même aux pires heures, de trouver en soi la capacité de se réjouir en « attrapant » une bonne raison, même si elle est infime.

Nous en avons fait l'expérience ensemble il y a quelques mois.

Témoignage d'Audrey :

« Le papa d'Isabelle a été emporté en quelques mois par une vilaine maladie. Les derniers jours furent très douloureux pour lui, pour Isabelle bien évidemment et pour moi qui soutenais mon amie dans cette épreuve.

Lorsqu'il est parti, nous sommes allées ensemble faire les démarches pour les obsèques. Il a eu la gentillesse d'épargner à ses enfants le choix du cercueil et autres considérations matérielles dont personne n'a le cœur à s'occuper dans ces moments-là. C'est ainsi que nous avons découvert la boutique des pompes funèbres choisie dans les préarrangements funéraires.

Quand on doit passer par la case croque-mort, l'on s'imagine plutôt être reçu par un gars au teint blafard tout droit sorti des albums de Lucky Luke (croyance limitante). Et là, nous tombons sur la sœur de Brigitte Bardot, en brune : petite cinquantaine pimpante et bronzée, charmante et professionnelle. Ce conflit entre nos représentations et la réalité qui s'offrait à nous nous a surprises et amusées.

Lorsqu'il a fallu choisir la plaque, la gentille dame nous a montré des catalogues où choisir une plaque commémorative. Novices en la matière, nous avons été saisies par la diversité des choix, du plus classique au plus insolite : des plaques avec des boules de pétanque, des dédicaces "pour le plus joyeux des chasseurs" et autres florilèges. C'est à ce moment que j'entends Isabelle dire très sérieusement à notre interlocutrice : "Je vais prendre celle-là et dessus vous inscrirez : Je vais faire une petite sieste, je reviens…" En voyant les yeux écarquillés de la dame, nous avons toutes piqué un fou rire, d'autant que cette plaisanterie aurait fait mourir de rire le papa d'Isabelle, joyeux drille devant l'Éternel. »

La morale de cette histoire est qu'en nous peuvent coexister des moments de grande tristesse et des moments de joie. C'est un choix que d'accepter les deux et de s'autoriser à les vivre sans culpabilité.

Des mois après, Isabelle est toujours profondément triste de la perte de son père mais il ne se passe pas une journée sans qu'elle ne rie ou ne s'émerveille de la beauté de la vie. La joie n'annule pas le malheur, elle permet de vivre avec.

J'ACTIVE MES BONHEURS À TOUS LES ÉTAGES (TÊTE, CŒUR ET CORPS)

Vous êtes à table en famille (ou pas), après une journée ordinaire. Vous commencez à souper et à discuter quand vous entendez le générique du journal télévisé. Tout le monde s'arrête de parler, c'est l'heure des infos. Un rituel dans bon nombre de chaumières.

Voici un petit florilège de ce que vous allez entendre et voir : chômage, crise, insécurité, délinquance, otages, crashs aériens, inondations, catastrophes nucléaires, disparition des fourmis des Galapagos, naufrages, fraudes, escroqueries, scandales politiques, racisme, homophobie, etc.

Nous nous arrêtons là car rien que de l'écrire, nous sentons monter la crise d'angoisse.

Le journal terminé, une petite dizaine de minutes de publicité s'imposent. Et ça recommence le lendemain matin. La radio, les infos, les journaux...

Mais comme si cela n'était pas suffisant, vous arrivez à la machine à café du bureau et échangez avec vos collègues. Les sujets de conversation tournent autour de la crise, de l'augmentation du prix du pétrole et du chômage. Le bombardement continu de mauvaises nouvelles et de perspectives d'avenir peu réjouissantes par les médias finit par porter un coup à votre moral et à celui de vos collègues.

L'heure du dîner arrive, et pour entretenir l'esprit d'équipe, vous partagez votre repas avec Marie-Jo, votre collègue. Marie-Jo est gentille et très coopérative dans le travail. C'est la bonne collègue. On peut toujours compter sur elle. On ne peut rien lui reprocher. Mais Marie-Jo est également épuisante tant elle est dans la plainte permanente, l'anticipation anxieuse et la rumination de tous les aspects négatifs de la vie (surtout de la sienne). Même lorsque vous arrivez au travail, remontés à bloc de joie et d'enthousiasme, quinze minutes de monologue Marie-Josien nécessitent souvent un petit euphorisant (en liquide ou en pilule) anti-sinistrose.

Que ce soit dans la sphère professionnelle ou privée, nous avons tous notre journal télévisé ou notre Marie-Jo pour nous saper le moral ; lorsque nous ne nous en chargeons pas nous-mêmes en nous laissant envahir par le négatif.

Mon cerveau sous haute protection

Grâce à l'apport des sciences cognitives, nous savons aujourd'hui que notre cerveau est limité en quantité d'informations entrantes. Nous avons une mémoire instantanée limitée dans le temps et dans la quantité. Eh oui, notre cerveau est constamment exposé à des milliers d'informations, mais contrairement aux « bonnes » discothèques qui se respectent, il n'a pas de vigile qui décide qui est digne d'entrer ou pas (« t'as des espadrilles tu rentres pas » ; « t'es cute, tu rentres »).

Notre cerveau laisse entrer toutes les informations, des plus insignifiantes aux plus importantes, les positives comme les négatives, les réjouissantes comme les plus déprimantes. Et comme notre mémoire est limitée dans le temps et dans l'espace, quand notre disque dur interne est trop chargé, notre cerveau va effacer une grande partie des informations sans filtre qualitatif.

Imaginons un instant que ma capacité de stockage à court terme est de six à huit informations. Si je fais entrer vingt informations, mon cerveau va automatiquement en éjecter entre douze et quatorze.

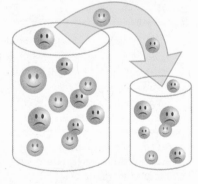

Imaginons maintenant que sur les vingt informations, quinze sont négatives, stressantes et moroses. Il est mathématique qu'après avoir éjecté les informations surnuméraires, mon cerveau garde en mémoire un plus grand nombre d'informations négatives (voir schéma ci-contre).

Cette explication doublée d'un schéma a pour but de vous aider à comprendre que plus nous nous exposons à des informations négatives, dramatiques et insécurisantes, plus nous courons le risque de nourrir notre cerveau avec des denrées toxiques.

Plus nous ingurgitons de messages qui mettent de la pression, plus nous augmentons la pression. La sinistrose, l'insécurité et la peur vont inconsciemment influer sur notre moral.

Petit exercice pour détoxifier son cerveau

Comme pour le foie, qu'il est souhaitable de nettoyer aux changements de saison, il existe une méthode efficace pour nettoyer le cerveau, beaucoup moins laxative que la détox hépatique. Elle se déroule en trois phases. Les deux premières visent à purifier le cerveau du négatif, et la troisième à recharger l'énergie positive.

Phase 1 : Le régime « medialight »

Cette méthode consiste à diminuer progressivement votre exposition aux différentes sources d'informations en choisissant, en pleine conscience, la source que vous désirez garder.

En fonction de ce que vous consommez médiatiquement, vous allez éviter les journaux d'information, les jeux télévisés, la télé-réalité, les magazines à potins, Facebook, Twitter et autres réseaux sociaux autant que faire se peut, jusqu'à ce que vous ayez suffisamment de distance (et sans développer de délire genre «théorie du complot»).

Notez l'incidence de cette diète médiatique sur votre niveau d'énergie à la fin de chaque journée.

Faites ensuite une liste des mille choses qui vous prennent du temps en vous faisant croire que vous vous détendez mais qui, en réalité, vous vident de votre substance, et arrêtez de les faire progressivement.

L'exemple le plus chronophage et le plus énergivore étant actuellement le jeu Candy Crush. Même si ces mille choses vous donnent l'illusion de vous vider la tête et de vous divertir, elles sont comme un shoot de drogue. Tout est fait pour que vous deveniez accro et que le plaisir soit tellement éphémère que vous ayez envie de rejouer (idem pour les jeux en ligne).

Phase 2 : La diète relationnelle

La détox passe également par une opération de mise à distance du négatif relationnel. Prenez votre carnet de contacts et remplissez le tableau ci-dessous.

Noms	++	+−	—
Marie-Jo		x	
La cousine Joëlle (voir p. 46)			x
Ma BFF (*Best Friend Forever*)	x		
....			
....			

« ++ » : ce sont les personnes qui nous donnent de l'énergie, de la joie, qui savent nous écouter sans nous juger, qui ne se plaignent pas constamment, en bref qui sont positives malgré les difficultés de la vie.

« +− » : ce sont les personnes que l'on apprécie pour certaines de leurs qualités mais qui projettent des peurs, des angoisses et des messages négatifs même quand tout va bien.

« −− » : ce sont les personnes qui, quoi qu'il arrive, vont vous expliquer par le menu pourquoi il n'y a jamais lieu de se réjouir dans ce monde de brutes, dans cette vie de misère et dans cet océan de pleurs.

Concernant les « -- », la solution est simple : le moins d'exposition possible est nécessaire. Pas plus que l'obligation professionnelle et/ou familiale vous l'impose. Et encore...

Concernant les « +- », la solution est plus nuancée : à vous de voir le dosage. Essayez en revanche de toujours leur renvoyer le positif de leurs propos et de leur attitude et d'arrêter de rebondir sur le négatif. Cette technique de renforcement du positif a fait ses preuves. À force de constater que vous réagissez seulement au positif, ces personnes se mettront à votre diapason et iront déverser leur négatif auprès d'autres, plus réceptives à ce genre d'informations.

Pour ces deux catégories, revenez à l'Étape 1 « S'affirmer » et posez la limite : « Je comprends ton besoin de partager cela avec moi, et je te remercie de ta confiance. En revanche, comme je suis sensible à ce genre d'informations, je préfère que tu t'arrêtes car cela ne me fait pas du bien » (avec le sourire, bien sûr).

Enfin, concernant les « ++ », la solution est gagnante à tous les coups : privilégiez, provoquez et entretenez le contact le plus souvent possible avec ces personnes ! Le positif partagé croît de manière exponentielle.

Phase 3 : La recharge énergétique

Commencez à sélectionner ce que vous laissez entrer dans votre cerveau. Le principal critère de sélection est une source d'inspiration qui vous donne de l'énergie : livres, musiques, films, émissions de télé inspirantes, magazines, etc. Sans oublier les petits délires personnels qui ne sont pas toujours compréhensibles par tout le monde, mais qui nous font un bien fou.

Exemples de délires personnels d'Audrey et Isabelle

Nous souhaitons partager avec vous quelques pistes et délires qui nous ont accompagnées pendant la rédaction de ce livre. C'est toujours vers eux que nous revenons, dès que nous sentons la pression monter.

Les sketchs :
• *L'attachée de presse* d'Élie Kakou.
• *Le Marseillais* d'Élie Kakou et sa formidable Ginette Badoule.
• *J'suis vieille* de Florence Foresti.

Les chansons :
• La chanson *T'es OK, t'es bat, t'es in* d'Ottawan, sur laquelle nous chantons et dansons comme des folles en plein milieu de l'après-midi dans notre bureau. Nous ne craignons pas le ridicule, qui ne nous a pas tuées jusqu'à présent, si quelqu'un venait à entrer dans la Fabrique.

• *Come back to me* de la pétillante et ravissante HollySiz (aussi connue sous le nom de Cécile Cassel) sur laquelle nous secouons nos crinières comme à la grande époque de *Fame* et *Flashdance*.

Petite devinette : connaissez-vous le point commun entre Dalida, Serge Lama, Radiohead, Nirvana, Charles Trenet, Pharell Williams, Ella Fitzgerald et Enrico Macias ? Ils nous ont tous permis de transformer les six heures de route Bienne-Paris, après deux jours de formation intensifs, en un pur moment de bonheur. Un « road kif » !

Nous vous faisons grâce de tous les livres et les films qui nous enchantent au quotidien. La liste serait trop longue. À vous de faire votre panthéon de sources positives ! Votre meilleur baromètre est votre corps. Si vous vous sentez boosté, c'est bon signe. Si vous vous sentez vidé, changez de source.

Petit exercice pour activer les petits bonheurs

Pour activer votre niveau de bien-être, remarquez la façon dont vous réagissez à vos désirs tout au long de la journée. Remarquez les moments où vous répondez à vos désirs avec joie. Que ressentez-vous ?

Remarquez, également, les fois où vous censurez vos désirs par votre jugement et votre négativité. Que ressentez-vous ?

Prenez le temps de vous ouvrir à vos vrais désirs. Entraînez-vous à accepter les instants joyeux lorsqu'ils se présentent à vous et en vous.

Qu'est-ce qui vous prend de l'énergie ?

Qu'est-ce qui vous en donne ?

Remarquez comme votre niveau d'énergie remonte et irradie quand vous écoutez plus vos désirs. Observez comme vous vous sentez vivant et vibrant.

Des techniques psychocorporelles à la rescousse

Pour lutter contre la pression, il faut que je cajole mon cœur et mon corps. Et ça tombe bien ! Car si mon cœur décidait de battre au passé ou de battre dans le futur, nous ne serions pas là pour en parler. L'ensemble des techniques psychocorporelles qui permettent d'apprivoiser les émotions et de se libérer des émotions négatives, bloquantes et stressantes partent de ce postulat de base. Qu'il s'agisse de la cohérence cardiaque, de la relaxation, de l'hypnose, de la sophrologie, de la kinésiologie et de la méditation, nous sommes appelés à revenir à une conscience de l'instant présent : ce qui est passé n'existe plus que dans les souvenirs, ce qui est futur n'existe que dans un imaginaire d'anticipation. Le seul moment que nous pouvons expérimenter, c'est la sérénité de l'instant, comme aime à le répéter Thich Nhat Han[17].

Quelle que soit la technique qui aura votre préférence, nous ne pouvons que vous inciter fortement à commencer à pratiquer régulièrement. Si nous reprenons l'exemple des petits pas (méthode Kaizen), il vaut mieux cinq minutes par jour qu'une petite phrase récurrente qui dit : « Quand j'aurai le temps, je ferai une heure de relaxation. » À partir du moment où nous décidons de nous y mettre, nous trouverons toujours un instant pour passer à l'acte, parce que nous avons l'intime conviction que cela nous fait du bien. En poussant le raisonnement, si nous persistons à penser que nous n'avons absolument pas de temps à y consacrer, l'on peut se demander pourquoi nous ne nous aimons pas suffisamment pour vouloir nous faire du bien.

Pour toutes celles et ceux qui pensent ne pas avoir le temps de s'inscrire à un cours ou d'aller chez un professionnel, il existe maintenant suffisamment de moyens pour pratiquer au moment le plus propice et dans le lieu qui vous convient.

Il n'est pas nécessaire d'attendre d'être seul dans le calme absolu pour se relaxer. À vous de trouver le lieu dans lequel vous vous sentez le mieux : sous votre couette, dans le hall d'une gare à regarder les passants, dans le métro avec vos écouteurs, dans votre jardin ou comme notre amie Sophie Machot, auteur de *Cultivez votre bonheur*, dans un café.

Il suffit d'aller sur internet et de télécharger (légalement) des bulles de ressourcement et de bien-être ou d'acheter des livres avec CD intégré. Il existe également de nombreuses applications pour téléphones intelligents.

---

17. Thich Nhat Han est un moine bouddhiste vietnamien, militant pour la paix. Il est un des promoteurs les plus connus du bouddhisme en Occident.

À vous d'identifier ce qui vous convient (voir « Mes petites soupapes du quotidien », p. 229). Mais si vous ne vous sentez pas à l'aise pour pratiquer seul, n'hésitez pas à contacter un professionnel qui saura vous accompagner.

Les bénéfices de ces pratiques psychocorporelles sont innombrables. Elles ont en effet un impact sur le cerveau, sur nos émotions et sur notre corps.

- Les effets sur le cerveau :
  - amélioration de la plasticité du cerveau, ce qui permet de mieux s'adapter aux situations nouvelles sans déclencher de peurs trop fortes ;
  - amélioration de la matière grise. Attention, concentration et mémoire renforcées ;
  - ralentissement du vieillissement du cerveau.
- Les effets sur nos émotions :
  - augmentation de l'estime de soi et de la confiance en soi ;
  - baisse des sensations liées au stress et à l'anxiété ;
  - lâcher-prise et prise de distance ;
  - augmentation de l'enthousiasme et de la joie de vivre.
- Les effets sur notre corps :
  - récupération plus efficace, aussi bonne que par le sommeil, sinon meilleure (vingt minutes de relaxation correspondent à deux heures de sommeil),
  - meilleure qualité du sommeil ;
  - baisse de la pression artérielle ;
  - augmentation du système immunitaire ;
  - action antidouleur.

Cette liste n'est pas exhaustive tant les bienfaits sur le corps et l'esprit sont nombreux et toujours en cours de découverte.

Alors inutile d'attendre d'être un yogi 12ᵉ dan ou la réincarnation de Bouddha pour profiter des bénéfices d'une pratique psychocorporelle. Comme nous l'avons déjà écrit: «Fait est mieux que parfait.» Nous vous invitons donc à vous poser cinq minutes par jour, tous les jours, et à en savourer les effets dans la durée.

Du mouvement et du contact

Comme nous l'avons évoqué à l'Étape 3, le bien-être passe par la satisfaction de nos besoins vitaux (oxygène, hydratation, sommeil, alimentation, etc.). Et parmi les besoins de mon corps, il y en a un qui est primordial pour faire remonter l'énergie positive, relancer la machine à penser et éradiquer la pression, c'est le mouvement.

L'on entend souvent dire: «Il faut faire du sport!» Or, nous ne sommes pas tous sportifs. Sans forcément avoir le souvenir de s'être caché derrière les buissons pour éviter les tours de parc pendant les cours d'endurance, pour certains le sport n'est pas toujours synonyme de plaisir. L'injonction du corps musclé, de la performance sportive met une pression lorsque l'on n'a pas vraiment cette prédisposition.

Or, le mouvement est vital pour notre santé physique et mentale. Se mettre en mouvement peut revêtir de nombreuses formes:

- La pratique régulière d'un sport bien sûr. Attention toutefois aux excès qui risquent de se retourner contre vous. Inutile de vous lancer deux fois par an dans une course effrénée d'une heure et demie qui risque de vous conduire directement aux urgences.
- La pratique sportive du ménage. Le ménage, disons-le franchement, c'est vraiment plate, sauf si l'on choisit

de joindre l'utile au désagréable et de transformer la corvée en une séance d'aérobic ménager. Haut les cœurs et haut la gambette, on met la musique à fond et on passe l'aspirateur en ondulant son corps. Cette pratique est valable également pour les hommes ! À bon entendeur...

- La marche au quotidien. Nous ne perdons aucune occasion de marcher dans la journée. Descendez une station d'autobus ou de métro avant votre station habituelle. Prenez vos pieds ou votre vélo le plus souvent possible pour aller faire votre épicerie. Partez plus tôt, si nécessaire, et privilégiez la marche pour vos déplacements. Pensez à prendre les escaliers le plus souvent possible.

- La danse. N'attendez pas la soirée du réveillon pour danser. Inutile d'être l'incarnation de John Travolta dans *La Fièvre du samedi soir* ou d'une danseuse-étoile pour s'autoriser à danser. N'écoutez pas les mauvaises langues qui vous disent que vous n'avez pas de rythme. L'essentiel est de bouger votre corps et de vous laisser transporter par les vibrations et le mouvement.

- Faire l'amour. *Last but not least*, pensez aux galipettes et câlins dynamiques. Oui, faire l'amour est bon pour notre santé physique et mentale, si tant est que l'exercice dure plus de deux minutes trente. Outre les calories dépensées, qui sont assez négligeables, les relations sexuelles reboostent l'énergie et augmentent les hormones du bien-être.

Notre corps est notre principal partenaire dans notre quotidien au rythme effréné. Il nous accompagne tout le temps et ne nous laisse pas tomber, en général. Aussi, nous nous permettons de le solliciter encore et encore, en le mettant souvent à rude épreuve (mauvaises postures de travail, alimentation déséquilibrée, déficit de sommeil, stress, etc.). Petit à petit, nous nous déconnectons de lui et ne prêtons plus attention aux messages qu'il nous envoie. Ce n'est que lorsqu'il commence à nous faire défaut que nous nous mettons à l'écouter. Et encore, lorsque nous l'entendons, il est parfois déjà trop tard. Le mal est là. Mal que nous tentons de réparer. Ce corps, au lieu d'être notre meilleur allié, devient le siège de notre souffrance.

Sachant que c'est notre unique corps pour toute notre vie, qu'il nous convienne ou non, nous devons lui accorder le respect et l'attention qu'il mérite. Il est, dès lors, essentiel de revenir à des pratiques qui permettent de le « sentir ». Le toucher permet d'activer nos capteurs sensoriels et de réactiver les connexions entre le cerveau et le corps. De nombreuses parties du corps accumulent des tensions importantes, tandis que d'autres ne sont plus stimulées.

Le toucher permet également au corps de produire de l'ocytocine. L'ocytocine est l'hormone de l'amour et de l'attachement. Lorsqu'elle est libérée, elle nous permet de nous calmer et nous relaxer et d'établir des relations sociales harmonieuses. Le professeur Uvnäs Moberg, dans son livre *Ocytocine : l'hormone de l'amour*[18], dresse un bilan des nombreuses recherches scientifiques et donne une explication physiologique à l'effet et à l'importance du massage, des caresses, sur notre bien-être! Le toucher est la voie royale pour sécréter l'ocytocine.

C'est pourquoi nous ne saurions trop vous inciter à (re)découvrir le monde merveilleux du massage, pratique

---

18. Uvnäs Moberg, *Ocytocine : l'hormone de l'amour*, Éditions Le Souffle d'Or, 2006.

ancestrale aux multiples vertus. En institut, en cabinet de kiné, en automassage, en couple, entre amis (en tout bien tout honneur au niveau des épaules), mettez le massage au cœur de votre hygiène de vie.

JE ME TOURNE VERS LES AUTRES

Nous avons remarqué que nos patients les plus stressés et les plus malheureux ont souvent tendance à se comparer aux autres. Cette comparaison entraîne un sentiment d'insatisfaction, d'envie et de jalousie. La réussite et le bonheur de l'autre leur renvoient leur inaccomplissement et leurs défaillances.

Je partage mes bonheurs et mes réussites

Nous connaissons tous le proverbe : « Le bonheur des uns fait le malheur des autres. » C'est faux, faux, faux et archi-faux ! Le bonheur de l'un fait le bonheur des autres si chacun poursuit un but bienveillant et constructif au niveau collectif. Le bonheur individuel et collectif grandit à mesure qu'on le partage.

La comparaison n'est pas la source du malheur en soi, si celui qui se compare arrive à prendre l'autre comme exemple pour apprendre quelque chose sur lui-même. La comparaison peut être un magnifique vecteur d'ambition si l'on exclut toute jalousie. Se réjouir de la réussite de l'autre, observer ce qui a fonctionné pour lui, lui demander comment il fait pour être heureux, s'inspirer de son mode de vie sont autant d'actions qui peuvent nous permettre d'augmenter notre niveau de bien-être et de nous réaliser dans notre domaine.

Partant de ce principe, il nous apparaît essentiel de partager nos réussites et d'afficher notre bien-être et notre joie de vivre. Notre société judéo-chrétienne nous a conditionnés à ne pas nous vanter et à ne pas étaler nos signes extérieurs de richesse. Les gens sont souvent suspicieux à l'égard de ceux qui ont l'air heureux. Et c'est bien dommage! C'est ainsi que de nombreuses personnes n'osent pas afficher leur bonheur. Or, nous pensons qu'il est nécessaire pour le bien de tous de montrer et de partager nos « signes intérieurs de richesse », en toute humilité. Gandhi disait : « Vous devez être le changement que vous voulez voir dans ce monde. » Il ne faut pas simplement attendre que les hautes sphères du pouvoir dans notre société changent le mode de fonctionnement et mettent en place les conditions favorables à l'épanouissement de chacun. Nous avons le pouvoir, et même le devoir, d'être le plus heureux possible, de nous accomplir et de le partager avec les autres.

À moins de vivre seuls sur une île déserte, nous passons notre vie à interagir avec nos semblables (et moins semblables). Dans cette interaction, il y a les mots, le contact physique, les odeurs et le langage corporel pour la partie visible. Pour la partie invisible, il y a toute l'énergie et toutes les vibrations que nous dégageons. Nous avons tous fait l'expérience, au moins une fois, d'entrer en contact avec une personne et de ne pas la « sentir ». Le plumage et le ramage sont tout à fait corrects et pourtant nous sortons de l'entretien avec une intuition : « Je ne la sens pas, elle dégage des ondes négatives. »

À l'inverse, il nous arrive de rencontrer des personnes qui dégagent une telle énergie positive que nous nous sentons tout de suite à l'aise et enthousiastes à leur contact. Nous envoyons tous des vibrations : positives, négatives, pleines d'énergie ou vides d'énergie. Ces vibrations découlent de notre état d'esprit, de notre humeur et de notre façon d'être au monde. À l'instar de nos comportements, les vibrations ont un impact sur toutes les personnes avec lesquelles nous interagissons. C'est ce que l'on appelle l'effet papillon. Toute l'énergie que nous dégageons est mise dans un pot commun d'énergie à grande échelle. Prenons un exemple pour mieux comprendre notre impact au niveau mondial.

Ambiance tendue chez les Tremblay ce matin. Sarah est fâchée contre son mari Benoit qui n'a pas préparé le biberon du petit. Elle grogne, elle rouspète et vocifère. Nuit trop courte. Benoit part au travail très tendu, les embouteillages finissent par lui user les nerfs. Arrivé au bureau, il ne laisse rien paraître mais dégage une énergie plus qu'électrique. Nous vous laissons imaginer tous les liens de cause à effet qui amèneront Kim Jong Un (sympathique dictateur) à s'étouffer avec une nouille de riz. Nous vous accordons que, dans cet exemple, l'énergie négative de départ a du bon au final.

Imaginons maintenant que Benoit, malgré un début de journée un peu rock'n roll, ait décidé, sur le chemin du bureau, d'écouter sa station de radio préférée et de chanter à tue-tête du Ottawan pour supporter les embouteillages. Il arrive au bureau et irradie une énergie joyeuse. Nous vous laissons imaginer tous les liens de cause à effet qui amèneront à une réunification pacifique des deux Corées.

Cette démonstration est un peu tirée par les cheveux? Oui, certes. Mais elle a le mérite de faire comprendre que nous avons tous un rôle à jouer en partageant notre joie de vivre et notre énergie positive.

L'amour avec un grand A

Lorsque l'on parle d'amour avec un grand A, l'on pense souvent à la passion de Roméo et Juliette, l'amour passionnel. N'avons-nous jamais entendu (dit?) : « Je recherche l'amour avec un grand A » ? Celui dont nous parlons ici est le souci de l'autre, le fait d'être concerné par le bien-être et l'amélioration de la vie d'autrui. C'est cet amour-là qui donne du sens à notre vie. C'est ce qui s'appelle aussi le pouvoir de la compassion. Oui, prendre soin des autres fait du bien, autant, sinon plus, que de prendre soin de soi uniquement. Ceux qui ont des enfants en font l'expérience lorsqu'ils découvrent que quelqu'un compte plus pour eux qu'eux-mêmes. Sans aller jusqu'à l'abnégation totale, nous pouvons au moins considérer que le bien-être d'autrui compte autant que le nôtre. C'est à partir du moment où nous choisissons d'aimer l'autre, quel qu'il soit, dans toute son imperfection, que nous faisons grandir l'amour en nous-mêmes et au-delà de nous-mêmes.

Sachant que nous sommes toujours « l'autrui » de quelqu'un d'autre, si tout le monde adopte la même pratique, nous irons tous beaucoup mieux.

La majorité des études sur le bonheur montre qu'il est nécessaire d'aimer les gens pour être heureux. Les aimer parce qu'ils en ont besoin, mais aussi les aimer parce que nous en avons nous-mêmes besoin. Le meilleur moyen d'apprendre à aimer, c'est de changer le « m » en « d » et de commencer par aider.

Je prends le temps d'aider les autres

Lorsque nous parlons d'aider les autres, quelles sont, à votre avis, les phrases qui reviennent le plus souvent ? « Trop bon, trop con », « J'ai déjà pas le temps de m'occuper de moi, j'vois pas où je pourrais trouver le temps d'aider les autres », « Quand on aide, c'est toujours dans le même sens. Il n'y a jamais de retour », etc.

Ces croyances correspondent à une vision très manichéenne des rapports humains. D'un côté les gentils dévoués qui se font toujours avoir, et de l'autre les méchants profiteurs égoïstes. Cette croyance conduit à une vision comptable du « donnant-donnant », de la réciprocité directe, qui justifie à elle seule une inaction et un repli sur soi.

Cette croyance est alimentée par une définition implicite du verbe « aider » qui sous-entendrait une aide matérielle, un engagement qui prend beaucoup de temps et d'énergie, souvent pour une grande cause. De ce fait, nous rencontrons beaucoup de personnes, désireuses d'aider, mais qui n'ont jamais assez d'argent ni assez de temps pour le faire et qui en ressentent une frustration et une culpabilité.

Or, selon nous, « aider » est une intention qui doit être mise en œuvre même à un niveau microscopique. Nous pouvons tous aider autrui par des micro bonnes actions à notre portée : donner cinq minutes de son temps pour écouter une amie, aider une personne âgée à traverser ou une maman à monter sa poussette dans l'autobus, apporter un sourire de soutien à un inconnu triste, téléphoner à quelqu'un pour mettre en relation deux connaissances. Sans rien attendre en retour. Le retour est déjà dans la satisfaction que nous ressentons de l'avoir fait.

En 2003, David Servan-Schreiber écrivait un article intitulé « Prendre soin des autres, c'est prendre soin de soi », où il démontrait les bienfaits physiologiques qu'il y a à prendre soin des autres. « Chaque fois que nous faisons du bien à un autre être, nous nous sentons mieux parce que notre physiologie s'en trouve renforcée » (Spinoza). Aujourd'hui, nous savons que notre cœur bat alors avec plus de cohérence, que nous sécrétons des endorphines (hormones de la connexion affective) et que notre système immunitaire est plus actif. Participer à des activités bénévoles pour assister les autres serait même une garantie de santé plus grande encore que réduire son taux de cholestérol ou arrêter de fumer[19] ! »

Cette démonstration suffit à elle seule à ne plus nous poser la question de savoir si aider les autres est bon pour nous, même sans contrepartie directe.

Petit exercice pour faire le bilan de tout ce que vous faites déjà pour les autres

Attention, il ne s'agit pas ici de ce que vous faites par devoir, donc souvent à contrecœur, même si vous vous résignez (voir l'Étape 1).

Pensez à la semaine qui vient de s'écouler, et notez toutes les petites et/ou grandes choses que vous avez faites pour prendre soin des autres et leur venir en aide (de bon cœur et sans rien attendre en retour).

Vous pouvez élargir votre bilan à un mois. Reconnectez-vous alors au ressenti des satisfactions, même minimes, que vous avez éprouvées.

Exemple très récent : une jeune femme nous arrête devant notre Fabrique à Bonheurs et nous demande si nous connaissons un bon resto thaï dans le quartier. Chance pour elle, il y en a un à deux rues de chez nous. Nous prenons le temps de lui indiquer la direction et lui confirmons qu'elle va se régaler. La jeune femme repart toute souriante en disant :

19. House, J. S., K. R. Landis, *et al.* 1988, « Science » 241 : 540-545.

«Ah, je savais que je frappais à la bonne porte ! » Nous avons passé les 5 minutes suivantes à nous réjouir à l'idée de lui avoir fait découvrir cette belle adresse. Nous ne la reverrons sans doute jamais. Peu importe, le simple souvenir de sa joie suffit à nous enchanter.

Comme nous l'avons écrit dans cette étape et depuis le début de cet ouvrage, il y a dans nos vies deux forces qui s'affrontent en permanence : la peur et l'amour. À chaque instant, il nous revient la décision de choisir de nous laisser diriger par la peur ou de nous laisser porter par l'amour. Ce choix va influencer nos actions. La peur revêt plusieurs formes : jalousie, colère, frustration, doutes qui ne sont que d'autres déguisements de la peur.

L'amour, au contraire, ce sont toutes les choses qui nous illuminent : la joie, la plénitude, la générosité, la compassion. En deux mots : le « vrai » amour que nous avons tous potentiellement en nous.

L'amour s'écoule aussi naturellement que notre respiration. L'amour n'est pas quelque chose que nous devons aller chercher chez les autres, mais à l'intérieur de nous. L'amour est en fait notre vraie nature. Et si nous faisons le choix conscient de l'amour, nous arriverons à vaincre la peur, à emprunter le chemin du bonheur et à nous libérer de la pression qui nous tue à petit feu.

Mes petites soupapes du quotidien

* **Comment être heureux et le rester?** *de Sonja Lyubomirsky, Marabout Poche (2013), car l'auteur veut plus que notre bonheur. Elle veut qu'il dure. Sympa, non?*

* **Cultivez votre bonheur** *de Sophie Machot, Eyrolles (2014), pour apprendre à semer des petites graines de bonheur et à récolter leurs jolies fleurs colorées et joyeuses*

* **Les interviews sur le bonheur** *du blog Moodstep, réalisées par Joanna Quélen, co-fondatrice du Happylab, pour y puiser de l'inspiration (www.moodstep.com, www.happylab.fr)*

* **Méditer, jour après jour** *de Christophe André (25 leçons pour vivre en pleine conscience). Livre + CD MP3, L'Iconoclaste (2014)*

* **Méditer** *de Jon Kabat-Zinn (avec la voix de Bernard Giraudeau) Livre + 1 CD MP3 audio gratuit, Les Arènes (2012)*

* **Forrest Gump,** *un film de Robert Zemeckis avec Tom Hanks, car «la vie c'est comme une boîte de chocolats, on ne sait jamais sur quoi on va tomber».*

* **Il était temps,** *un film de Richard Curtis, pour profiter de chaque petit instant de notre vie en prenant du recul. La vie est à la fois merveilleuse et absurde, joyeuse et triste, et c'est ce qui lui donne toute sa saveur*

MES RÉUSSITES DANS LA CINQUIÈME ÉTAPE

✓   J'ai compris que nous avions chacun une aptitude
au bonheur prédéterminée.

✓   J'ai aussi compris que j'avais une belle marge de
manœuvre pour fabriquer mon bonheur. Cela demande
de l'entraînement.

✓   Je sais maintenant que plus d'argent ne rend pas
forcément plus heureux.

✓   Je réponds aux bonnes questions pour me sensibiliser
aux bonheurs.

✓   Je fais la liste de mes envies et je commence
à les réaliser, à mon rythme.

✓   Je n'oublie pas de stimuler ma joie de vivre.

✓   Je mets mon cerveau à la diète pour me libérer
des informations toxiques.

✓   J'entame une diète relationnelle pour mettre à distance
le négatif et je me recharge en énergie positive.

✓   Je prends soin de mon corps et je bouge.

✓   Je partage mes bonheurs et mes réussites.

✓   Je prends soin des autres en les aidant.

Bravo!

Conclusion

Nous voici au terme de notre voyage. Cela ne signifie nullement que ces quelques mots ont eu l'effet miracle de vous libérer de la pression. Nous espérons que ce livre vous aura permis de comprendre les mécanismes de la pression et de commencer à mettre en œuvre des pistes pour arrêter d'être esclaves des autres et de vous-même.

C'est une démarche qui demande de la persévérance et du courage. Le courage d'affronter vos peurs et de vous accepter tel que vous êtes dans vos imperfections et dans votre authenticité.

Nous avons eu beaucoup de plaisir à écrire ce livre qui nous a fait progresser encore un peu plus. Même si nous avons aussi ressenti par moments de la pression. Nous sommes donc repassées par chacune des étapes. Et vous savez quoi ? Ça marche !

Avant de nous séparer, nous souhaitons vous offrir une dernière réflexion, certainement la plus importante à nos yeux car elle fait la synthèse de tout ce que nous avons partagé avec vous.

« Si l'on devait mourir demain, qu'est-ce qu'on ferait de plus, qu'est-ce qu'on ferait de moins ? » Titre de chanson ou phrase-cliché, cette question reste souvent sans réponse parce qu'il est difficile de se sentir vraiment concerné tant qu'on n'est pas au pied du mur. Sauf que, quand le mur est là, il est déjà trop tard.

Sans tomber dans le pathos ou dans un délire existentiel, installez-vous tranquillement pour essayer de répondre à cette question aujourd'hui. N'attendez pas d'avoir cent ans pour le faire.

Et pour finir, une petite phrase, qui a son fond de vérité puisque c'est Patrick Bruel qui le dit : « Mieux vaut avoir des remords que des regrets. » Et si vous ne faites pas la différence entre les remords et les regrets, dites-le-nous, le père d'Audrey peut avoir son courriel (à Patriiiiiiiiiiiiick).

Nous vous souhaitons une belle route, une belle vie, riche, joyeuse, bondissante, vibrante, aimante, authentique, merveilleuse et apaisée.

Avec tout notre Amour avec un grand A.

Audrey et Isabelle

Table des petits exercices

Corrigé des petits exercices

Petit exercice pour démarrer de la p. 20

Pressé comme un citron; être au taquet; être sous pression; rabaisser le couvercle; exploser; imploser; relâcher la pression; inverser la vapeur; ouvrir la soupape; avoir une chape de plomb; être comme un presto...

Petit exercice schizophrénique de la p. 57

1. *Coupable.* Est-il vraiment utile d'expliquer pourquoi? Vous ferez mieux la prochaine fois.
2. *Pas coupable.* Vous n'avez rien à voir dans leur histoire de couple même si vous étiez secrètement amoureux de votre maman ou de votre papa. C'est normal, à cinq ans, ça s'appelle l'œdipe.
3. *Pas coupable.* C'est même une question de santé publique. Ce n'est pas parce que vous n'avez pas d'emploi salarié que vous devez faire une croix sur ce qui vous donne de l'oxygène.
4. *Coupable.* Vous n'aimeriez pas que votre enfant fasse la même chose. C'est briser la confiance qu'il a en vous. C'est également un manque de respect, même si c'est vous qui les lui avez donnés.

5. *Pas coupable.* Ce n'est pas une faute que d'accomplir vos rêves et pas ceux de Pierre, Paul ou Ringo.

6. *Pas coupable.* Déjà, à partir du premier, vous avez le droit de ne pas être tout le temps disponible.

7. *Pas coupable.* Pourquoi les Whippets seraient-ils exclusivement réservés aux enfants ?

8. *Joker.* Allez en discuter sur le divan de votre psy, tout a un sens et nous ne voulons pas ajouter une pseudo-morale. Mais si l'on peut vous donner un conseil : culpabilisez si vous ne pouvez pas faire autrement, mais n'avouez jamais. Ça ne vaut pas le coup de tout foutre en l'air pour un moment d'égarement.

9. *Coupable.* C'est une infraction punie par la loi. Vous risquez de mettre votre vie et celle des autres en danger.

10. *Pas coupable.* La situation de votre sœur n'est pas de votre responsabilité. Rien ne vous empêche de l'aider, mais attention à ne pas surcompenser en vous oubliant.

Petit exercice pour identifier les sources d'émotions négatives de la p. 150

Quelle que soit l'émotion négative, la première des choses à faire est d'initier une respiration consciente.

Si nous reprenons l'exemple de la voiture, vous allez prendre conscience du contact de vos mains sur le volant, des points d'appui de votre corps sur le siège, et du contact de vos pieds avec le sol ou les pédales. Concentrez-vous sur l'air qui entre et sort par votre nez. Inspiration… expiration… inspiration… expiration, pendant quelques minutes.

Sans forcer, vous allez prendre conscience de l'air qui entre par les narines, descend dans la trachée puis gonfle le ventre doucement. Puis en sens inverse à l'expiration. Au bout d'un moment, vous allez vous apercevoir que votre mouvement respiratoire devient plus lent, plus fluide et plus régulier. Les tensions nerveuses et musculaires se relâchent, votre rythme cardiaque ralentit et l'émotion négative s'estompe.

Ce qu'il faut bien comprendre, c'est que c'est la « moulinette mentale » qui s'empare, entretient et retient avec joie nos émotions négatives et les monte en mayonnaise. Pour donner un os à ronger à votre « moulinette mentale » et pour lui clouer le bec, vous pouvez également appliquer le jeu du pire du pire du pire (voir p. 141).

Au pire, vous arrivez en retard. Au pire du pire, votre patron vous fait une remarque. Au pire du pire du pire, bah rien! Pas d'heures de colle, pas de punitions. Au pire du pire du pire, vous vous débrouillerez avec votre petite gêne d'avoir été pris en défaut. Et comme la honte ne nous tue pas, vous serez toujours en vie. Alors que le vrai pire du pire, c'est de se laisser envahir par l'impatience, l'exaspération et la colère qui risquent d'altérer votre niveau de vigilance et de vous envoyer droit dans le pare-chocs de la voiture qui vous précède.

Vous l'aurez compris, cette technique fonctionne très bien pour toutes les situations susceptibles de réveiller le côté très obscur de votre force.

Bibliographie

Des mêmes auteurs

- *Apprendre autrement avec la Pédagogie Positive*, Eyrolles, 2013

Aux éditions Eyrolles

- Patrick Amar, Silvia André, *J'arrête de stresser*, 2013
- Tony Buzan, *Une tête bien faite*, 2004
- Olivier Clerc, *J'arrête de me juger, 21 jours pour changer*, 2014
- Christine Lewicki, *Wake up!, 4 principes fondamentaux pour arrêter de vivre sa vie à moitié endormi*, 2014
- Christine Lewicki, *J'arrête de râler!*, 2011
- Sophie Machot, *Cultivez votre bonheur!*, 2014

Autres éditeurs

- Art-thérapie, *100 coloriages anti-stress*, Hachette Pratique, 2014
- Christophe André, *Imparfaits, libres et heureux, Pratique de l'estime de soi*, Odile Jacob, 2006

- Dr Christophe Dejours, *L'évaluation du travail à l'épreuve du réel, Critique des fondements de l'évaluation*, INRA éditions, 2003
- Dr Frédéric Fanget, *Oser*, Odile Jacob, 2008
- Susan Forward, *Parents toxiques, Comment échapper à leur emprise*, Marabout, 2013
- Viktor Frankl, *Découvrir un sens à sa vie avec la logothérapie*, J'ai lu, 2013
- Elizabeth Gilbert, *Mange Prie Aime*, Calmann-Lévy, 2008
- Sophie Grassi, *Je craque... au secours! Je fais quoi?*, Le courrier du livre, 2013
- Sonja Lyubomirsky, *Comment être heureux et le rester?*, Marabout Poche, 2013
- Isabelle Nazare-Aga, *Les manipulateurs sont parmi nous, Qui sont-ils, comment s'en protéger?*, Éditions de l'Homme, 1999
- Marie Pezé, *Ils ne mouraient pas tous mais tous étaient frappés*, Pearson, 2008
- Ken Robinson, *L'Élément, Quand trouver sa voie peut tout changer*, Play Bac, 2013
- Marshall Rosenberg, *Les mots sont des fenêtres, Introduction à la communication non-violente*, Éditions La Découverte, 2004
- Jacques Salomé, *Contes à guérir, contes à grandir*, Albin Michel, 1993
- Marlène Schiappa, *Les 200 astuces de Maman travaille*, Éditions Leduc.S, 2013
- Florence Servan-Schreiber, *Power Patate, Vous avez des super pouvoirs! Détectez-les et utilisez-les!*, Marabout, 2014
- Florence Servan-Schreiber, *3 kifs par jour*, Marabout, 2011

Sitographie

- La Fabrique à Bonheurs: www.lafabriqueabonheurs.com et le blog www.lafabriqueabonheursblog.com
- Hypnothérapie: le site de Moshe Aaron Marciano, www.mosheaaron.com
- 3 kifs par jour: le blog de Florence Servan-Schreiber, www.3kifsparjour.com
- Mademoiselle Smoothie: www.mademoisellesmoothie.com
- Souffrance et travail: le site de Marie Pezé, www.souffrance-et-travail.com
- Troubles du sommeil: www.prosom.org
- Découvrir ses forces et ses talents: www.viacharacter.org/Survey/Account/Register
- J'arrête de râler: le blog www.jarretederaler.com
- Pour apprendre, toujours et encore: les conférences TED, www.ted.com
- Pour puiser son inspiration: les interviews sur le bonheur du blog Moodstep, réalisées par Joanna Quélen, cofondatrice du Happylab, www.moodstep.com, www.happylab
- Institut français d'hypnose ericksonnienne: pistes audio gratuites, www.ifhe.net
- Applis Smartphone: Respirelax des Thermes d'Allevard, le jeu relaxant Osmos et Nature sounds

Comptes Twitter :

- @leszebresQc
- @AlexandreJardin
- @god
- @Flossforever
- @akounaudrey
- @isapailleau

Communication avec les auteurs

Pour partager vos témoignages sur ce livre et vos idées plans et astuces pour dire stop à la pression, nous vous invitons à poster un commentaire sur le blog www.lafabriqueabonheursblog.com et la page Facebook associée.

Consultez aussi notre site www.lafabriqueabonheurs.com.

Remerciements

Rien ne vaut une joyeuse troupe de complices pour nous aider à traverser les joies et les peines de la vie. Nous avons la chance d'être entourées de jolis spécimens qui savent tirer le meilleur de nous-mêmes. Un immense MERCI à vous!

Gwenaëlle Painvin, notre amie et éditrice française. Pour notre premier livre, tu as détecté en nous un message qui bouillonnait et tu as cru utile de nous pousser à le délivrer au plus grand nombre. Cette première marque de confiance a changé le cours de notre vie.

La dream team des éditions ÉDITO

Erwan Leseul, notre super éditeur québécois, qui a eu l'audace de nous faire confiance. Merci pour ton accueil chaleureux et bienveillant. Nous nous sentons un peu chez nous dans ton joli bureau des éditions ÉDITO.

Laurence Hurtel, assistante de choc. Merci pour les cours de québécois lors de l'adaptation de ce livre. Et merci pour ta patience quand il nous arrive de lire les courriels à moitié. ☺

Olivia Égrot, notre attachée de presse pétillante. Merci de croire en nous et de parler aussi bien de notre livre.

Notre team Happy Family

Romain Silbercher et Philippe Pailleau, nos compagnons de route aimants, patients et féministes. Merci de nous encourager toujours à vivre notre rêve et de vous accommoder de notre rythme effréné.

Camille P., David A., Antoine P., Garance P., Benjamin T., Hannah T. et Aaron S., nos géniales progénitures qui illuminent nos journées, même à distance. Vous êtes des diamants, des chefs-d'œuvre grâce et avec vos imperfections ! Restez comme vous êtes, nous vous aimons quoi qu'il...

Josy et Jacques, nos producteurs et managers. Vous nous avez chouchoutées et régalées. Ce livre n'aurait pas pu voir le jour si vous n'aviez pas eu la bonne idée de nous séquestrer pendant une semaine pour que nous puissions écrire, la tête, le cœur et le corps apaisés. Merci pour votre amour inconditionnel !

Jacky et Thierry, nos frères préférés.

Luna Kami, notre « directrice artistique », tu nous enchantes avec tes jolies créations.

Les tantes Monique et Véro, supportrices « objectives » et inconditionnelles.

Notre team œcuménique Happy Friends

Muriel Bellalou Botebol, notre super Mu/Mumu. Il nous tarde de voir le pantalon rouge.

Sakina Nhari, notre bouée de sauvetage et notre soupape anti-pétage de coche.

À tous nos amis (la liste des prénoms serait trop longue mais vous vous reconnaîtrez), avec qui la vie a une infinie saveur, celle de l'amitié authentique. Merci !

Notre Fabrique team à Bonheurs

Merci à tous nos formateurs, qui portent avec beaucoup de joie et de générosité les valeurs de la Pédagogie Positive. *We love you!*

La team Happylab

Joanna Quélen, Jessica Hollender, Sophie Machot et Florence Servan-Schreiber. Les filles, vous êtes des petites étoiles scintillantes qui subliment les jours joyeux et illuminent les jours tristounets.

La team Happy Tête, Cœur, Corps

Moshe Aaron Marciano, Sophie Grassi, Cécile Surateau, Françoise Anisset. C'est grâce à vos bons soins que nous sommes arrivées vivantes au bout de cette année intense en émotions joyeuses et en moments moins agréables.

La team Happy Pygmalions

Olivier Legrain, Christian Thebault, Patrick Amar. Vos yeux de lynx et votre bienveillance nous guident vers l'infini et au-delà.

Nos clients

Nous voulons dédier cet ouvrage à tous nos clients et stagiaires qui sont une source d'inspiration et de connaissance. Chacune de vos problématiques nous pousse à aller chercher en nous des ressources positives et de l'ingéniosité pour toujours mieux vous accompagner. Grâce à vous, nous grandissons chaque jour.

Mon carnet stop à la pression

....

....

....

....

....

....

....

....

....

....

....

....

....

....

....

....

....